劉福春・李怡 主編

民國文學珍稀文獻集成

第三輯

新詩舊集影印叢編　第86冊

【張秀中卷】

曉風

北京：北京明報社 1926 年 1 月版

張秀中 著

清晨

北京：海音書局 1927 年 6 月版

張秀中 著

動的宇宙

北京：海音書局 1927 年 11 月版

張秀中 著

花木蘭文化事業有限公司

國家圖書館出版品預行編目資料

曉風／清晨／動的宇宙／張秀中　著 -- 初版 -- 新北市：花木蘭文化事業有限公司，2021〔民 110〕

38 面／34 面／102 面；19×26 公分

（民國文學珍稀文獻集成・第三輯・新詩舊集影印叢編　第 86 冊）

ISBN 978-986-518-473-5（套書精裝）

831.8　　10010193

民國文學珍稀文獻集成・第三輯・新詩舊集影印叢編（86-120 冊）
第 86 冊

曉風
清晨
動的宇宙

著　者　張秀中
主　編　劉福春、李怡
企　劃　四川大學中國詩歌研究院
　　　　四川大學大文學學派
總 編 輯　杜潔祥
副總編輯　楊嘉樂
編　輯　許郁翎、張雅淋、潘玟靜　美術編輯　陳逸婷
出　版　花木蘭文化事業有限公司
社　長　高小娟
聯絡地址　235 新北市中和區中安街七二號十三樓
　　　　電話：02-2923-1455／傳真：02-2923-1452
網　址　http://www.huamulan.tw 信箱 service@huamulans.com
印　刷　普羅文化出版廣告事業
初　版　2021 年 8 月
定　價　第三輯 86-120 冊（精裝）新台幣 88,000 元

曉風

張秀中 著

張秀中（1905 ～1944）生於河北定興。

北京明報社一九二六年一月出版。
原書五十六開。影印所用底本封面缺。

月下的三封信

代　序

月下的三封信

他手托着腮，望着渾圓的明月。「呵！月兒呵！你又圓了，你又圓了，反正是月月圓呵！這月的月圓，不是上月的月圓；上月的月圓當然又不是再上月的月圓了！如是地追想下去，下次的月圓，當是別有一番的滋味在胸懷吧？眞不知天地間的萬物，隨著這月圓怎樣地變更，看這月圓的人兒，更要起多少的無恆思潮呢？」他悠悠地沉思下去；七八年前的事情，不由地復現在眼前，跳在了筆尖上：

這是我一生不能忘的事，
　己有七八年了，
夏夜的乘凉——
　樹蔭裏，
　明月下，

1

父親底笑聲，
母親底縫衣，
姊，妹，兄，弟底跳躍，呼喚
，撲蟲，
和諧的音樂，
美妙的圖畫——
天然愛之神祕，
佈滿了過去的路程，
融化了現在的趣味，
一切，一切都在甜夢底茫茫裏，
殘燈幢幢的影裏了！

他寫完這一段，也沒有什麼表示，只是滴下來了幾點清淚，好像得了些安慰似的，仍仰頭望著天上的明月，作每夜對月談心的工夫，
輾轉的凝視，又拿起筆兒，寫到：

2

『我親愛的至友小辰：

我底環境，你是深知的；但我從來又不肯屈服了我這可愛的心，一味就自己所喜好的去努力；所以常常是走不通。但我底人生觀已大有不可搖動之勢，我從前看着社會的人，萬物，甚至於嬰兒下生時的啼聲，都是帶着十分兇惡，如今呢？我以爲世上人和人，只是互相牽連，親愛。總之，從前我以爲人性是惡的，現在以爲人性是善的；從前我過的是靜的生活，現在我要作動的生活；從前我只做讀書的工夫，現在我要多作作人的工夫……但是至友：你千萬不要錯認了我，我是山野中裸體的小孩子，雖然愛自由地歌唱，却怕衣冠整齊的人來探看。因此成天是心胸緊漲。我忠誠

3

地告訴你說：「聰明人，最不宜輕信自已的時候，便是———喜歡和嗔怒。」我盼望你早早地取消了我這朋友，快和我絕交…………」寫到這裏，自已一看，便一把抓到嘴裏嚼了，仍是冷靜靜地望着神祕的明月，好像是要到那明月鏡中的山河影裏去遊歷去了！又寫到：

『我底好友小辰』：

我喜歡下大雨時的清涼世界；大雪紛飛時的清爽人間，尤其是雪後房檐下的一點一滴的水音，能穿透了我底心，我最讚美清晨，每當破曉的時候，希望從雞聲裏送來。也讚美月落，月兒沒了的時候，天上底繁星，分外的光輝，好似是月光分裂的火花，更讚美滚浪的海上，幽秀的山間，平坦無際的曠野，我願登高山望著日落，在那時的靈魂，異外超脫，可以出了人間以外，飛到天涯去，更有登高山渡大海的心情，覺到處處都是家。我最喜歡數天上的星星，這塊大籃包伏有何等說不盡的妙趣呵！我極愛夜間。在夜間能作許多高興的夢。當著在日出正高的時分，我恨不的一時搬到沒有白天的地方去住；所以我愛我，愛萬物，也不得不愛夜之神，看天空開放的朵朵星花，豈不是夜之神的贈與？在清凉靜悄的夜靜，捲到微風裏的滴滴琴音，又是怎樣的幽凉？好了；就將我底夜之讚認抄下來給你：——

「夜——

我認識你，

惟進到你底境內，

6

才望見遠處明滅的小火光。

夜——
我認慯你，
人們看不見路時，
全成了好兄弟。

夜——
我認慯你，
敲開了你底門時，
我底心燈忽然亮了！

……………………………………

寫到這裏，他心中一時急燥起來，照樣吞在嘴裏了。仍抬頭望着月兒。

刹那間，忽又寫起來：——

『我最親愛的朋友：

人生如夢，我以爲世間好比蒼茫無際的大海，我好像個遠行的旅客，乘着紅葉似的小船，正在其中漂泊。人生眞是動的呵：動才是進化，才能創造自已，我在每動之間，皆可運用我底思想，海動則成波濤，濤動則有歌，才得到眞正的自由，有多少的神祕是隱藏在動之中……………………」

寫至此又置身於平日的幻想之中了，這時己入於夜深之境，忽然天上飄來了一片浮雲，好像展開兩臂，把水晶似的月兒輕輕摟住，黑暗中的筆兒寫不分明了：

1925.5.1.在保定

1

曉風起了！
　金黄的光芒，
　　從天邊射出，
島上窺星的人哪！
　心放寬些兒啵
　　萬衆的沉睡者
　　　就要蘇醒了！

2

夜間望着明星走，
　覺得步下全亮了！

3

雲散了，
蟬叫了，
　日出天晴的時候呵！

4

這般鮮艷可愛的花兒。
　倚在籬旁伴着吧！

9

5

還往那兒走呢？
　就在這淡綠的池邊，
　　看着魚兒游泳吧！

6

河裏的水只是往前流着，
聽啊！嘩嘩的聲音中，
　似乎帶着十分的歡喜！

7

望月要笑微微的啊！
　懊悔的時候，
　　低頭在廊下徘徊吧！

8

一想到我底生命————
海波般的音樂便在胸中奏起！

9

「這夜不定落多少呢？」
　我站在搖蕩的花旁這樣想着……

10

10

顆顆的星兒一閃一爍的，
彎彎的月兒正在天河中划渡，
　晚風裏我望着牠們微笑了！

11

海水起了波瀾了
　只是互相擁抱着向前滾啊！

12

花瓣兒乘風飄在空中了，
　看紛紛墜落的微塵啊！

13

皎潔的月兒高高地懸在天空，
　情絲似的光芒，
　　牽住了水晶似的大地上底一切

14

蜜蜂成羣地飛進花園裏去了，
　聽這嗡嗡的聲兒，
　　是歌唱，還是咀咒？

11

15

夜深咧，
　入夢吧————
　　幸運的女神來臨了！

16

我底靈魂，
　好像大河裏底小波
只是廻轉於流水底漩渦中！

17

潔白的月光，
　照住了散步的我和她，
　　地上活動着的黑影兒，
　　　正在波中洗澡呢，

18

展轉間，
　樹兒穿上黃衣了；
我爲了前途底光明，
　只盼望着牠們來春發芽，

19

燃燒着的野火啊！
　你在我底創造中
　　添了幾顆幻想的星光，
　閃爍於永久流動的 ——
　　生命微波的深處！

20

人類底負担快輕些兒吧，
看！海上底扁舟——
　　任意漂流！

21

歡歡喜喜地做了個夢，
　醒來臉上已充滿了笑痕！

22

晨光在你唇上丟下微笑
　跑了——吾愛！

23

天河中跳下去的流星啊！

13

24

夜間跳舞的——
　月底新芽，
　星底銀點，
　　是在蔚藍的天空中，
　　還是在蕩動的海波上？

25

秋雨絲絲，
涼風拂拂，
　自然界底萬有，
　　將向未知之境去了！

26

是思家的心太勝了嗎？
　盼到信來時，
　　心不住地跳起來。

27

在乾燥的土氣裏呼吸時，
　便是生活泉源的涸竭啊！

28

孤兒正在廊下望星呢，

水般涼的月光，

己浸到石階了！

29

詩人！

要找到你底靈魂嗎？

田野間美麗的花兒，

正放着聖潔的芳香呢！

30

聰明人！

不要輕於信你自己的時候——

便是喜歡和嗔怒！

31

夢中底歡聚，

醒來只覺得——

是無限的悵惘，

無限的溫柔。

15

32

只是自己咀咒嗎？
　小心着以後的反悔！

33

捉摸人類底情緒時，
　我底心就寬闊多了！

34

靜悄之夜，
　捲到微風裏的滴滴琴音——
便是無限幽凉！

35

我底朋友！
　當你睡在夜之懷裏，
你心中曾燃著了幾顆不滅之光？

36

黑暗長途的旅客啊！
　當你望見前面的一絲亮光時，
再向後望就要頭眩了！

37

雁兒帶來消息說：
「世間又充滿了生氣了！

38

假如你捨棄了伊時
你便也就成了被棄者了！

39

月涼如水的時分，
要洗你憂鬱的心嗎？朋友！
小心着梢頭明月，
照見萬縷愁絲！

40

這是怎樣的狂風啊！
樹身兒斜着，
樹葉兒響着，
沙土飛着，
馬上底遠行者，——
覺得天昏地暗了！

17

41

又振顫起來？我底心絃，
　當吹滅燈的剎那間！

42

天上底繁星，
　惟有黑暗中才光明呢，
　　月光兒一照便看不清了！

43

蒼茫大海裏的波浪呀！
　再無有平靜的時候了嗎？
紅葉似的行船，
　將來漂泊到那裏去？

44

半閉的眼睛上笑了的晨光呵！

45

歸舟上同是望着家鄉的人兒，
　掌舵的要小心
我們彼此也不可爭吵啊！

46

月光繞廊了，
是要探望窗內——
獨坐暗泣的人！

47

海波似的柔光啊！
浸透了月兒的浮雲。

48

聽見心靈底呼聲了——
樂音合而爲一時。

49

喲！覺得亮了些，
想是太陽推雲探頭呢，
我底希望就在雲端，
因爲天氣沉陰了好幾天了！

50

好一個灰色的人間啊！
聽！深夜底喇叭聲。

51

大雲紛飛下來了，
　將來人心裏底浮塵，
　　能消滅幾許？

52

我臨別時向她微笑，
　她盈盈的眼淚更盈盈了！

53

是月兒沒了？
　輝煌跳舞的繁星，
　　倒好似月光分裂的火花！

54

何不去徘徊？
　對燈呆坐的人兒——
　　篩影在月波中蕩漾呢！

55

聽見伊溫柔的慰語了——
　火車開時的笛聲！

56

我底朋友！
　你底心是大海嗎？
看哪！浮在波上底紅葉兒——
　　　從天際漂來！

57

鳥鳴！
　我從先不曾聽，
　　以後或嫌吵鬧，
　現在呀！却成了可寶的音樂！

58

我按着琴絃，
　這一絲的餘音，
　　索住窗外徘徊的鳥了！

59

愁眉的徘徊者啊！
　你知道嗎？
爲了你，我底心絃抖顫了！

21

60

　忽………………㗇………………嗒………………嚕

山上傾倒的瀑布啊！

　是給勇敢人聽的，

　　心靈脆弱者底心絃振顫了！

61

水流的時候，

　便有歌聲，

但最神祕的

　還隱藏在波動裏。

62

我已深思了，

　當世界最後之一幕，

　　只有一根緊縮的心音，

　　　振顫在冷淸淸的宇宙間？

63

是夢見的愛神喲！

　那能仔細端詳？

　22

64

遠日隨天落去了，
　我底心湖中——
　　可曾印照上幾点星光？

65

樹葉刷刷地往地上落，
　這也是歡樂之歌嗎？
　　已欺哄了世人了！

66

把我底心花拆下來吧！
　放在想像的春水裏——
　　隨着微風徐流！

67

你是愛之女神嗎？
來！和我在樹蔭下 跳舞！

68

她底孩子死去了，
　看見旁人底孩子也是喜歡啊！

69

生命好似一個細影，
　在我窗前橫着，
　　待我拿起伶妙的筆兒，
　　　將他描在紙上吧！

70

黎明時，
　鳥兒在我窗前斜翅兒飛，
鳥啊！你是晨光底使者嗎？

71

撇下了一天的虛幻夢境，
夜間閉目沉思。

72

那能捉住？
　浮水面的鳥影。

73

還怕沾住浮塵嗎？
　飄在風中的游絲。

74

幾句雞聲從曉風裏送來，
　海中小船裏底航客，
　　又到了動身的時候了！

75

啊！好一個寂寞的人間，
大早起———
　我只望着曉雲微笑！

76

假如你要死了，
　你那心愛的珍物，
　　就成了他人底開心品了！

77

這也是自己底安慰了，
無人處，墜幾点清淚！

78

我抬頭望着明月，
　月明牽住我夜間底心！

79

那有適意的船兒將我渡過？
　挺身怒視着蒼海險濤，
　　只是沿岸急走！

80

豈只是枕上底遙想呢，
　我每夜漂泊的夢魂兒，
　　那有一定的地方？

81

明月啊！
　你就要落去了嗎？
夜深人靜——————
　孤燈怎配作我底伴侶？

82

如果我底心，
　像雲般地浮在天空；
那時的靈魂
　就好似流水歌奏在森林之間。

83

美麗的花兒，
是爲將來的果子開放着？

84

同調者啊！
我融化在你底夢裏吧，
相偕去遊「夜之國」。

85

海上的浪花，
告訴吾生的新時期已經來了！

86

蜂兒和花兒戀了半季，
花兒開謝了的時候，
蜂兒漂泊到那裏去？

87

冷石階的人影還在嗎？
晨雞叫散了繁星，
曉月漸漸地淡了！

88

窗下底彈琴者，
　幽凉的調兒快撥動起來吧，
　　朝陽裏底小鳥正唱着清脆的
　　歌呢！

89

是何處陣陣細妙簫聲，
　從温柔的風裏送來。

90

似海水在我腦中流着的時候，
　眼前的一切全清晰了——
　　人兒，馬兒，牛兒，樹兒。

91

她醒了，想是爲惡夢驚醒的，
不然，枕上底淚兒是那裏來的？

92

春風吹動了我無力的髮兒，
自然啊！我深深地感謝你了！

93

「春日底風，
　何等可愛喲！」
　　我底心笑着說。

94

滾浪的海上，
　到好似溫柔的故鄉，
我底靈魂深深地浸到波裡了！

95

我底朋友！
　你應從汪洋的海上，
　　去尋那清香的蓮花！

96

我和她沐浴在春風裏，
　如桃花片兒上遊戲着的蜜蜂。

97

不可言說的神祕啊！
　薄雲掩着笑微微的月兒。

98

是愛的天使？
　披了輕薄的霞裳，
　　站在清晨底雲上。

99

如果母親把我抱在懷裏吻着，
　那時我還是我嗎？

100

看慣了冷灰的人
　對着烘烘的火燄也訕笑呵！

101

春天纏綿的雨，
　使我無語低首了！

102

夜深了！
　聽這旺旺的犬吠，
遠行的旅客，
　怎樣的胆寒啊！

103

聽音樂的那人啊！

　閉上你底眼吧，

好把你底心靈繞在幽幽的音裏。

104

開放在天空底朵朵星花，

　也許是夜之神底贈與？

105

安定些吧！我底心，

　大海裏的危波平靜下去了！

106

獨坐孤室吹簫———

　眼淚隨聲而下了，

———悲凉的調兒給誰聽？

107

她懷念着遠遊的兒子，

　仍是一針一線地作活，

　　是要把淚珠穿起吧？

31

108

眼長在心裏了————

————神人啊！

109

天邊閃爍的小星，

点着了我夜間心靈底燈。

110

聽見溪水底微音了，

當作着高興的夢時。

111

好悲壯的喇叭呀！

聽呵！淨街的銳笛聲又響了！

112

我底心在月光中凜凜顫動了，

這是怎樣地不可言說的情緒呵！

113

想和明月談心嗎？

輕悄的浮雲遮著呢！

114

愛人哪！

嫩芽兒是生在你底心田上了麼？

那末我願意是春日底柔風了！

115

我要洗夜間底靈魂，

對着澄澈如水的明月！

116

月兒臥在柔波底懷裏悄悄說：

「夜過了一半了，吾愛！」

117

黑夜底眼睫裏露出晨光，

纏繞住我底身，

我心裏彈動着說：「這是在夢裏吧？」

118

星星何必和月兒湊呢？

黑色的天空中，

自有你底光明。

33

119

窗外雪地似的月夜裏，
　我眞要起來步行了！

120

當思想底潮流洶湧時，
　心靈也在波動着。

121

露珠兒沾在樹葉上————
　想求牠底愛；
　　但葉兒輕輕地一沈，
　　　露珠滾滾地落下…………

122

「我願你陶醉在我底夢裏」
　這是我最後的祈禱。

書目介紹

書名	著者	價格
野火	謝采江著	三角
夢痕	謝采江著	一角五分
從深處出	甄朴平著	印刷中
婚後生活	智天民著	再版中
歐風拉	張秀中譯	印刷中

不准翻印

一九二六年一月出版

一冊一角五分

著者　張秀中

總售處　北京　明報社

印刷者　北京　永華印刷局

代售處　晨報社北新書局北大號房及各省大書局

清晨

張秀中 著

海音書局（北京）一九二七年六月出版。原書四十開。

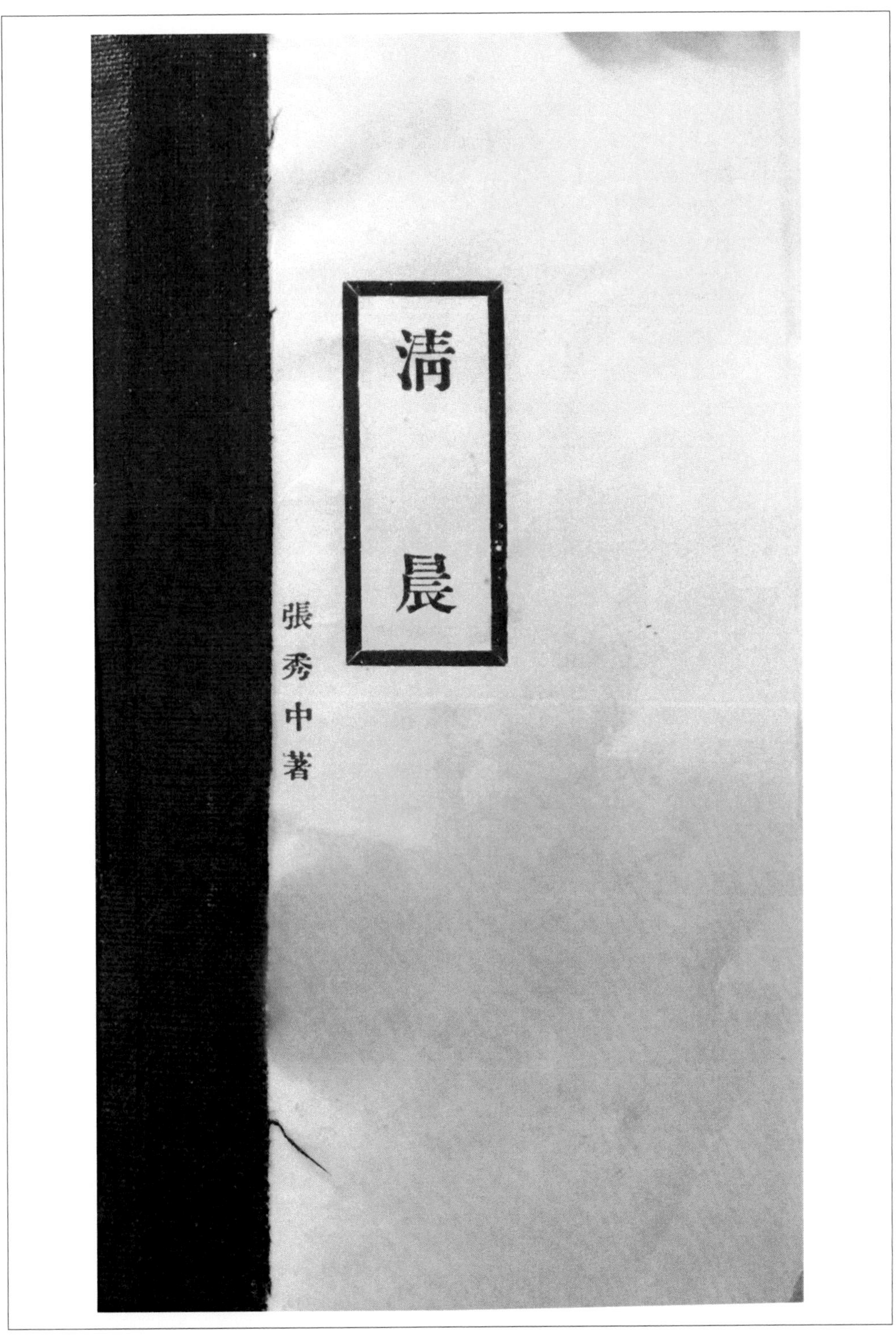
清晨
張秀中著

清　　　晨

張秀中著

海音社短歌叢書之四

清晨好似一個美妙的女郎，
每天破曉的時候，
倚窗來望我。　、

1

1

靜悄的夜間，
　顆顆的星兒上來了，
我將一天的煩悶丟開，
　倚在芳香的竹籬旁，
　　默默的望着牠們！

2

湖心裏跳躍着的火光兒，
　不住的在眼裏閃爍着，
　　是天空中星兒的影子嗎？
　　　還是夜間的生命呢？

3

將來人人都不用鎖時，
　那末你心門上的鎖鍊，
　　也就腐朽了！

2

4

夜間黑洞裏蹿出來的鼠兒，
　跑到放燈的桌上。

5

是眞的嗎？朋友！
　你心上只有一根絃，
　　坐在海濱彈着高調子！

6

樹上鮮美的果子，
　將來是要擺在主人的盤中啊！

7

換心的朋友，
　平日說不盡的談笑，
　　怎的臨別初會的時候，
　　　却一聲兒不響？

3

8

狂風越颳的大，
　土氣裏的行人越走得快呵！

9

污水池裏潔白的放着清香的蓮花
　是狂風暴雨的使命呵！

10

幽淡的月光下緩步，
　身旁壯闊的白壁上，
　　看着自己的黑影子！

11

都是生命途上的旅客啊！
　沿路得了鮮花，
　　我們應該互相贈送！

12

水裏的魚兒，
　都是漁人的生產者。

13

河岸上倒映在水紋裏的樹兒，
　只是無定的蕩着啊！

14

蜜蜂臥在花心裏了，
　聽牠歌着什麼調子？

15

我想按住了心絃的彈動，
　只有默坐無言啊！

16

緘默些吧！
　無聊的言語，
　　只是亂了漂泊無定的心絲！

5

17

我知道了！
　春天的雨點比雪片還凉呵！

18

整天只是悵惘嗎？
看啊！
死之神在後面一步一步的逼近了！

19

流星是自然的情絲嗎？
　當着在蔚藍的天空裏閃爍過去；
　　却牽去了我那飄忽的心！

20

春風吹濕了細柳，
　是天眞的洩露啊！

21

「你是培植我的那人兒嗎？」
　花含笑的問着園丁。

22

看圖畫看慣了，
　臨到芳林碧水之間，
　　好像曾遊歷過幾次。

23

小心著吧！
　沸騰的心泉，
　　不看結成寒冷的冰！

24

看長途盡處微動的黑影子，
　是行路的旅客嗎？
漸漸的轉進模糊的樹林裏去了。

25

7

山間溪水的歌聲，
　從峭壁的回音裏聽見！

26

登高山渡大海的時候，
　覺着處處都是家吧？

27

朋友！
　你能彈你心絃凄清的細調嗎？
　我要唱我胸中悲涼的短歌了！

28

小雨連綿隔斷了春的消息，
　最難度啊，
　　惱人天氣！

29

枝上伶俐的小鳥啊！

你唱的是相思的歌調嗎？
　却這般響亮！

30

只是靜靜的睡着嗎？
　疲倦的月光兒，
　　已把你的窗紙照成淡白色了！

31

啊！看見送喪的人兒，
　却增了我記憶中一幅凄涼的圖畫喲！

32

孩子第一次的小淚點，
　滴在母親的襟上，
　　告訴了他帶來的悲哀！

33

我願她唇上的微笑，

永在半開的花心裏保留。

34

花苞兒若能結充實的果子，
是在自然的愛護下啊！

35

大地沉寂下去，
海風吹的海發笑了；
星兒的跳舞，
射出青白的微光；
愛之女神坐在海濱彈着小曲子——
謳謌這夜之神秘！

36

是小魚的游泳，
添了海面上的波紋？

37

獨宿的妻驚醒了，
只數着夜間凄涼雨點的滴瀝聲啊！

38

心潮激動起來，
　如急雨將要落在地上。

39

黑暗的路上急走，
　脚步只是踏着自己的靈魂。

40

小石子在流水的漩渦中，
　尋牠的去路！

41

詩人從夢中醒來，
　覺着世間已經清淨了！

42

把靈魂寄到天涯去不好嗎？
　登着高山望落日。

43

懷抱着一捆爛熳的花兒。
　那捨得葬在地中。

44

沒娘的孩子最可憐啊！
　兄弟們不要打罵他。

45

當着你看蔚藍的天空，
　成了澄碧的大海時，
那末你的心
　便變成天上的浮雲了！

46

「這夜心上的憂鬱，

誰能替我洗滌呢？」
詩人站在月波中這樣說。

47

天色漸漸的幽暗上來，
好似一個彎腰的老婦人，
扶着我的窗台沿走過去。

48

村頭暗林遮住了曲折的小路，
旅客是要一幕一幕的揭開啊！

49

魚兒還這般愉快的游泳嗎？
朝霧沉沉的海面上，
漁夫又投下網了！

50

孩子在外受了氣，

跑到家裏對着母親只是哭！

51

只有心絃的振顫，
　奏出細微曲折的樂音。

52

幻渺的夢魂兒，
　追着生命的影子，
　　照在玻璃似的海中！

53

聽勝利的戀歌啊！
　雨後池畔的蛙聲。

54

花兒看見蜂兒蝶兒飛來了，
　却顯出怯懦的微笑來對着牠們

55

平坦無際的曠野裏，
　綠草叢生處——
你要在那個地方養你的心田。

56

人在黑暗的世界裏，
　如同深夜迷路的旅行人啊！

57

小小的行船呀，
　安隱些吧！
海風又起了，
　這樣險惡的風波，
　　不看沈沒到海裏去！

58

海水抱着浮葉，
　送到孤絕的島上。

59

大雨過去了，
　萬物都笑了，
　　只有海波不住的蕩着。

60

看啊！
　小雨又緊上來了，
　　房檐的點滴，
　　　又是穿透了石階。

61

海水不住的蕩着，
　已作了日光的跳舞場。

62

我的明友！
　請你把眞實的告訴我吧，

我願借你那愛情的花朵，
　作爲行路的燈兒！

63

好清涼的世界啊！
　大雨過去後，
　風吹散了浮雲，
　　滿天的星都放光了。

64

上帝擦乾了你的眼淚吧，
　世間都是相親愛的啊！

65

風啊！
　不要折了我心愛的花，
　　她還嫩着呢！

66

17

冬來了，
蔚藍的天空裏，
雁兒一排一排的飛去了！

67

小河溝裏的水，
不住的流着，
牠的響聲，
深印在我的心中。

68

燈蛾！
你爲什麼撲滅我夜間的燈——
燒死了你！

69

小鳥快樂的聲音，
入在我的夢中，

我的夢也快樂了。

70

幽深的一幅圖畫，
在我面前展開，
看久了——
我好像在畫中作了旅行人。

71

我夜來的夢，
回答了我昨天未完的沈思。

72

鐘聲不住的擺着，
牠的聲音好像對世人說：
「何時也不要停止了你的工作。」

73

涼風啊！

19

你能在我的心田上飀飀嗎？
我的悲痛正等着你呢！

74

我最稱贊的只是：
滾浪的海上，
幽秀的山間，
平坦的曠野。

75

自然的風聲裡，
帶出來了許多歡樂歌。

76

如果明月裡大樹似的蔭裡，
成了我夜晚的休息處，
我便不在這黑暗的路上彳亍了。

77

驚醒的牀上，
　忽然聽見了——
　　綠葉的密語，
　　小雨的滴瀝。

78

當在秋後，
　涼風吹動枯草，
　　蟋蟀悽慘的呼喚，
這便是——
一生要在哀絃裡完結！

79

菊花鮮艷的開着，
　但粉蝶兒是不來了。

80

曠野閒步，

21

天涯深遠處——
　望着青青的小山。

81

淚珠浸透筆尖時，
　便寫出血紅的字跡來。

82

昨晚的樂遊，
　能回思一時，
　　也是幸福；
但今夜——
　只對憔悴的孤燈，
　　呆坐——凝視。

83

微風吹着細雨，
　林裡失伴的孤鳥，

奏着清脆的悲歌！

84

「現在」，
我不能指出你來，
你好像海波不住的滾着，
又好像表內的秒針不住的擺着。

85

心中太乾燥了，
跑到山中看泉水去吧！
但雪後
房檐下——
一點一滴的水音，
却把我的心穿透了！

86

井蛙啊！

這深黑的井底，
　永久住下嗎？
雨後綠茵的野田，
　有多幸福呢！

87

海水花花的滾着，
　後浪低聲對前浪說：
　　「耐心前進吧，
　　　路途還長着呀！」

88

看了樹蔭，
　不知道樹的偉大。

89

在疏林透過的月影裡走——
　靜聽寂夜中的風聲。

90

還猜疑嗎？朋友！
沒有不可說的話對你說；
小心著我的淚點，
滴在你的襟上吧！

91

好了！
似笑般的大雨傾下來了，
將來把人心洗得澄清如鏡，
這世界也就從此清涼下去。

92

滴滴的雨音，
我感謝你把世人的心敲碎了！

93

窗下濃綠的大樹啊！

25

我夜中的夢魂兒，
　是常徬徊於你的陰影之下嗎？

94

什麼是「同情」？
　我不知道，
　　把一生流不出的熱淚，
　　　全滲在心層裡吧！

95

雨後的夏晚，
　到帶着些涼意，
啊！看天際的雲霞，
　　　已把自然界美化了！

96

禁不住崇拜星兒，月兒，
　是爲我胸中的「光」和「愛」祈禱着。

97

我底生命，
　正如夜間小風裏的燈，
　　待明早的和平呢！

98

沈悶了！
　我緩步徘徊着，
　　雨後的夜靜——
　　　月影幽凉的圖畫裏
　　　　怎樣的孤寂啊！

99

我睡在——
　樹影下，
　花香裡，
　　是她寂寞的足音，

27

將我喚醒了！

100

微妙的泉水——

自由的流着，

含笑的滾着，

去而不復歸的水啊！

生命音韻的象徵啊！

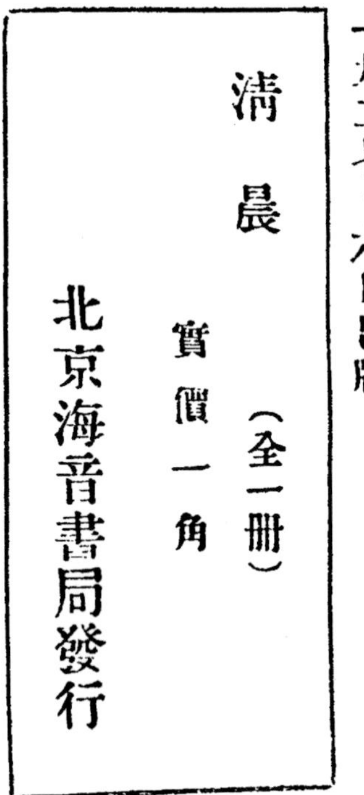

一九二七，六月出版

清晨

（全一册）

實價一角

北京海音書局發行

動的宇宙

張秀中 著

海音書局（北京）一九二七年十一月初版。原書三十二開。

動的宇宙

動的宇宙

張秀中著

海音社文藝叢書之七

1927

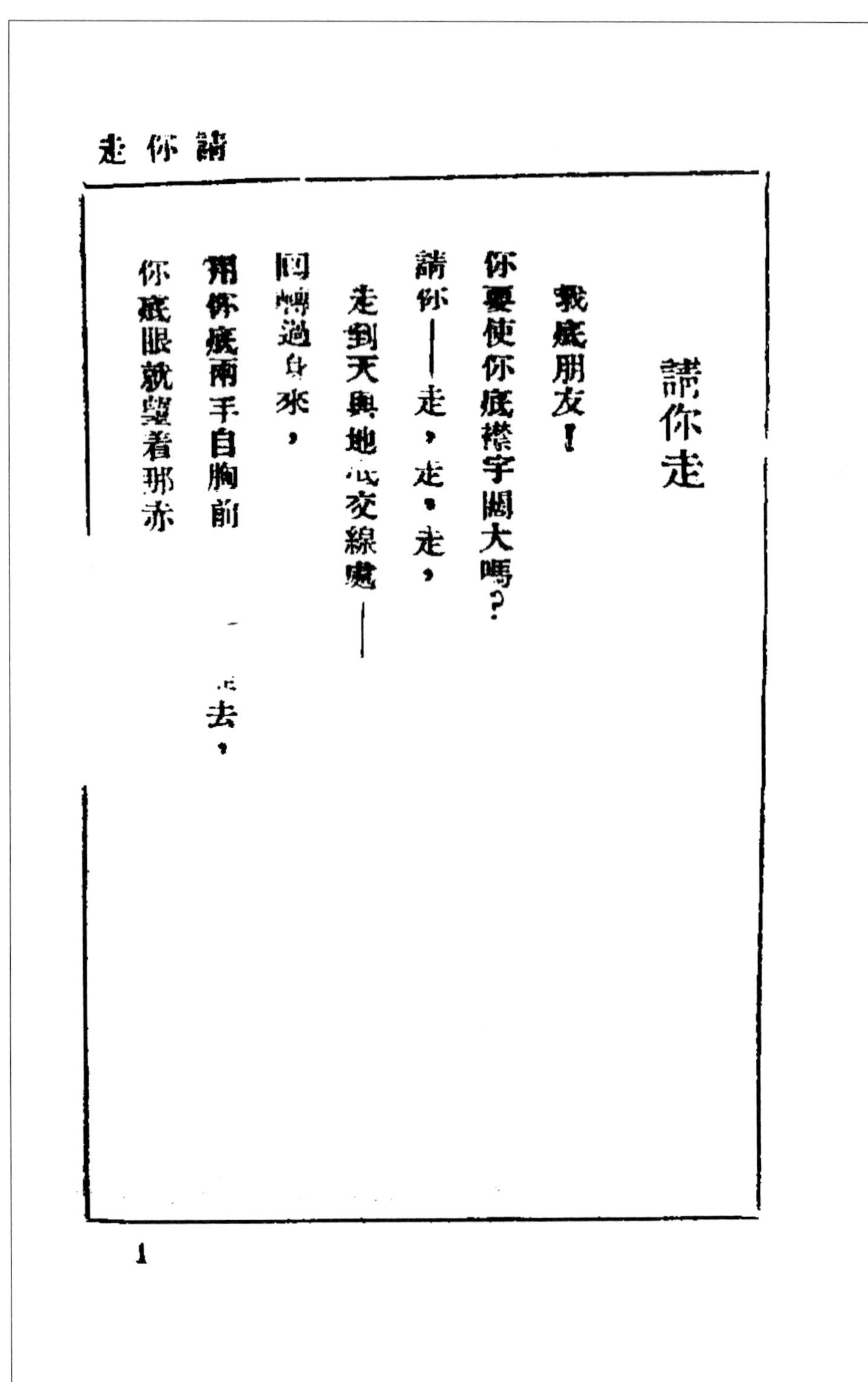

請你走

我底朋友！
你要使你底襟宇闊大嗎？
請你——走，走，走，
　走到天與地底交線處——
回轉過身來，
用你底兩手自胸前[illegible]去，
你底眼就望着那赤

請你走

你站的那地方
就是無際雲波之上

○

我底朋友！
你要使你底標字闊大嗎？
請你——走，走，走，
走到天與地底交線處——
回轉過身來，
你底臉要仰向空天閉着雙目，

請你走

你就覺得有人在你面前姍姍地走，
　你站的那地方
就是仙村，世上沒人知道的仙村。

○

　我底朋友！
你要使你底襟宇闊大嗎？
請你——走，走，走，
　走到天與地底交線處——
回轉過身來

8

請你走

你要掀起你頭上的輕紗，
看那站在曉雲上的天使，
　你站的那地方
微笑浮起來了！

○

　我底朋友！
你要使你底襟宇闊大嗎？
請你——走，走，走，
　走到天與地底交線處——

4

請你走

回轉過身來，
你要披上你那輕紗，
無心而飄蕩的雲兒，
遮住無情的天神，
你站的那地方，
恐怖浮起來了！

○

我底朋友！
你要使你底襟字闊大嗎？

請你走

請你——走，走，走，
　走到天與地底交綫處——
回轉過身來，
你要抛下你身上的輕紗，
夜之神把他底大作舉起，
　顯出了天河中牽手跳舞的星羣，
　你站的那地方，
沉默浮起來了！

○

6

我底朋友！

你要使你底襟宇闊大嗎？

請你——走，走，走，…………

一九二五，八，一三。

流水的讚頌

流水碰在石塊上，
牠們不呻吟，歎息，
只是唱着歡樂的歌！

流水碰在石塊上，
牠們誰也不瞞顧誰，
還是互相說笑着。

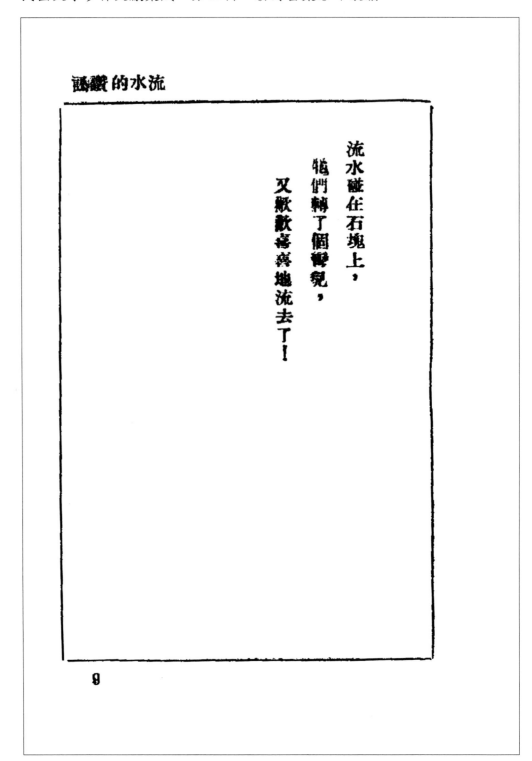

流水碰在石塊上，
牠們轉了個彎兒，
又歡歡喜喜地流去了！

無題詩

山間的百花齊開了——紅的，黃的，紫的，……。
蝶兒來了舞一回，
蜂兒來了唱一回，
賞花人來到：
籠罩在彩霞裡，
飽嗅了這幽香，
說說笑笑的
又空着手走了。

一九二五，一〇，三晚。

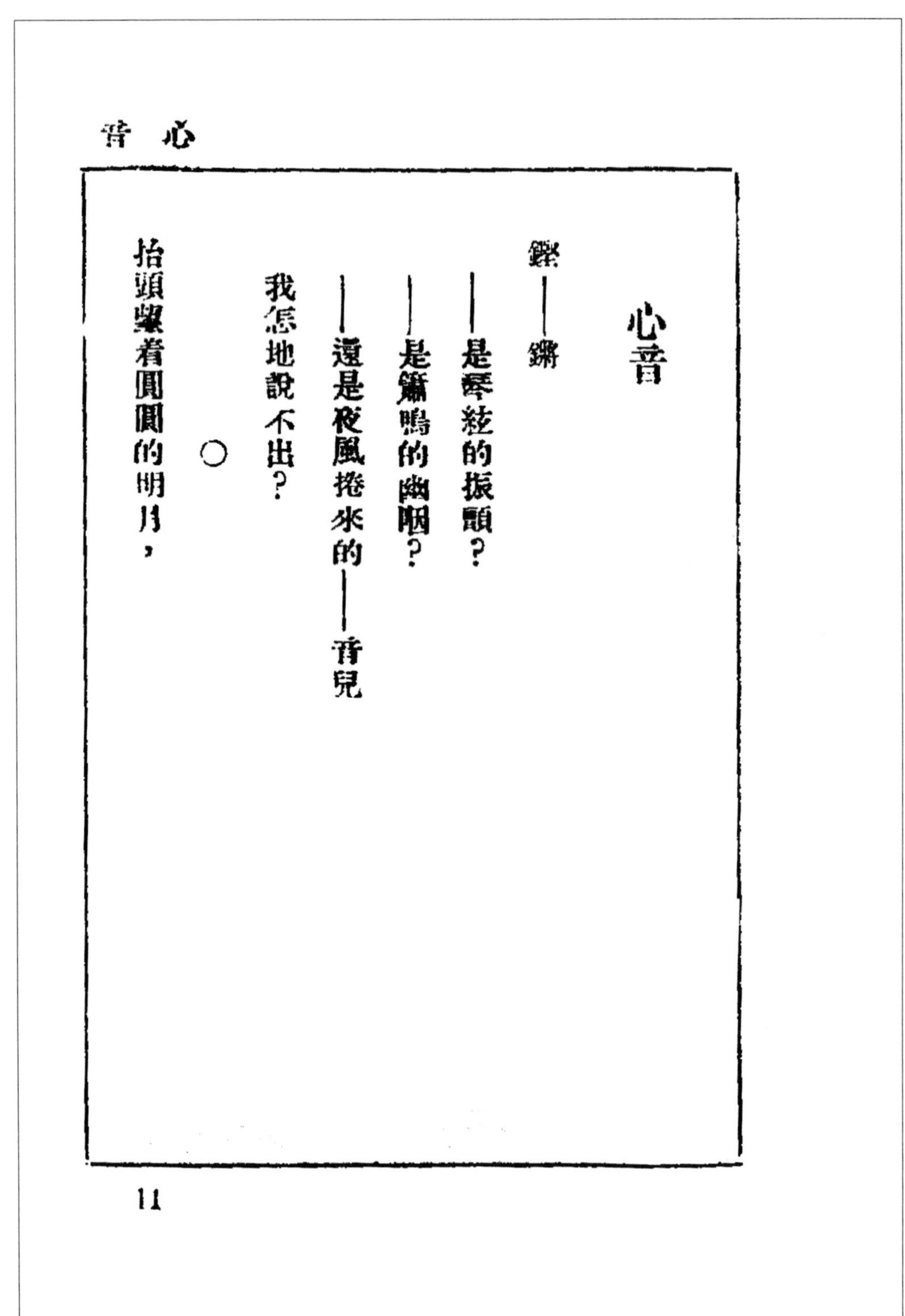

心音

鏗——鏘

——是琴絃的振顫？

——是簫鳴的幽咽？

——還是夜風捲來的——音兒

我怎地說不出？

○

抬頭繫着圓圓的明月，

心音

低頭又在樹蔭下徘徊，
踏月，
覷月，
泣月，
一縷縹渺的情絲——
我怎地捉不住？

○

孤月姍姍地過去，
亂星閃閃地露出，

12

夜是深沉沉的了，
忽的流星在天河中飛過，
倏然一道銀毫——
　我怎地看不淸？

○

暗樹下，
花香裏，
入夢的伊
　敧斜着身，

心弦

朦朧着睡，
——是失戀的處女？
——是月下的仙姑？
我悄悄地走到牀前——
我怎地肯把伊驚醒？

○

鏗——鏘
——是琴絃的振顫？
——是簫鳴的幽咽？

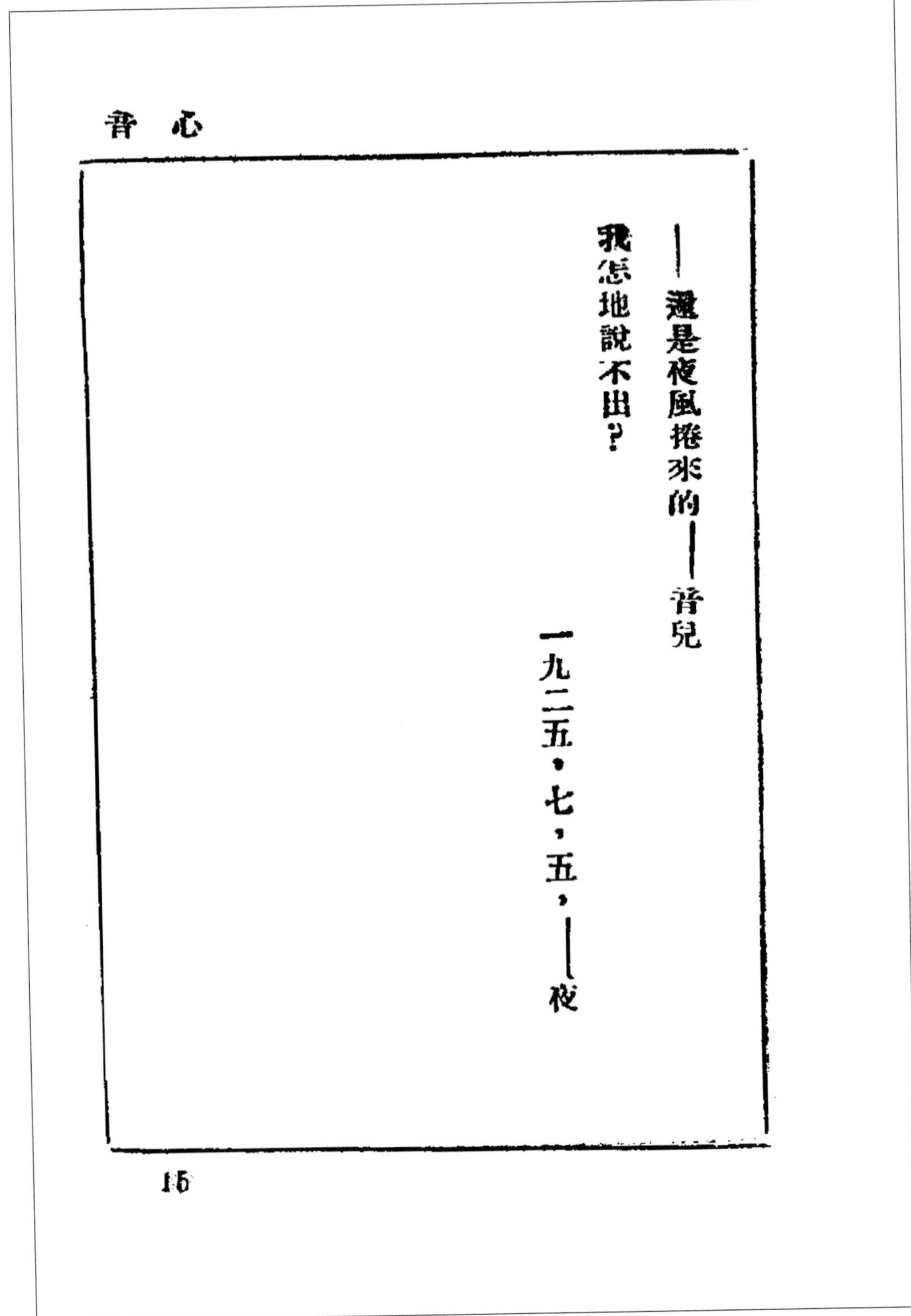

——還是夜風捲來的——音兒
我怎地說不出?

一九二五・七・五・——夜

夜之讚頌

夜——
我頌揚你；
惟達到你底境內，
　才望見遠處明滅的小火光。
夜——
我頌揚你，

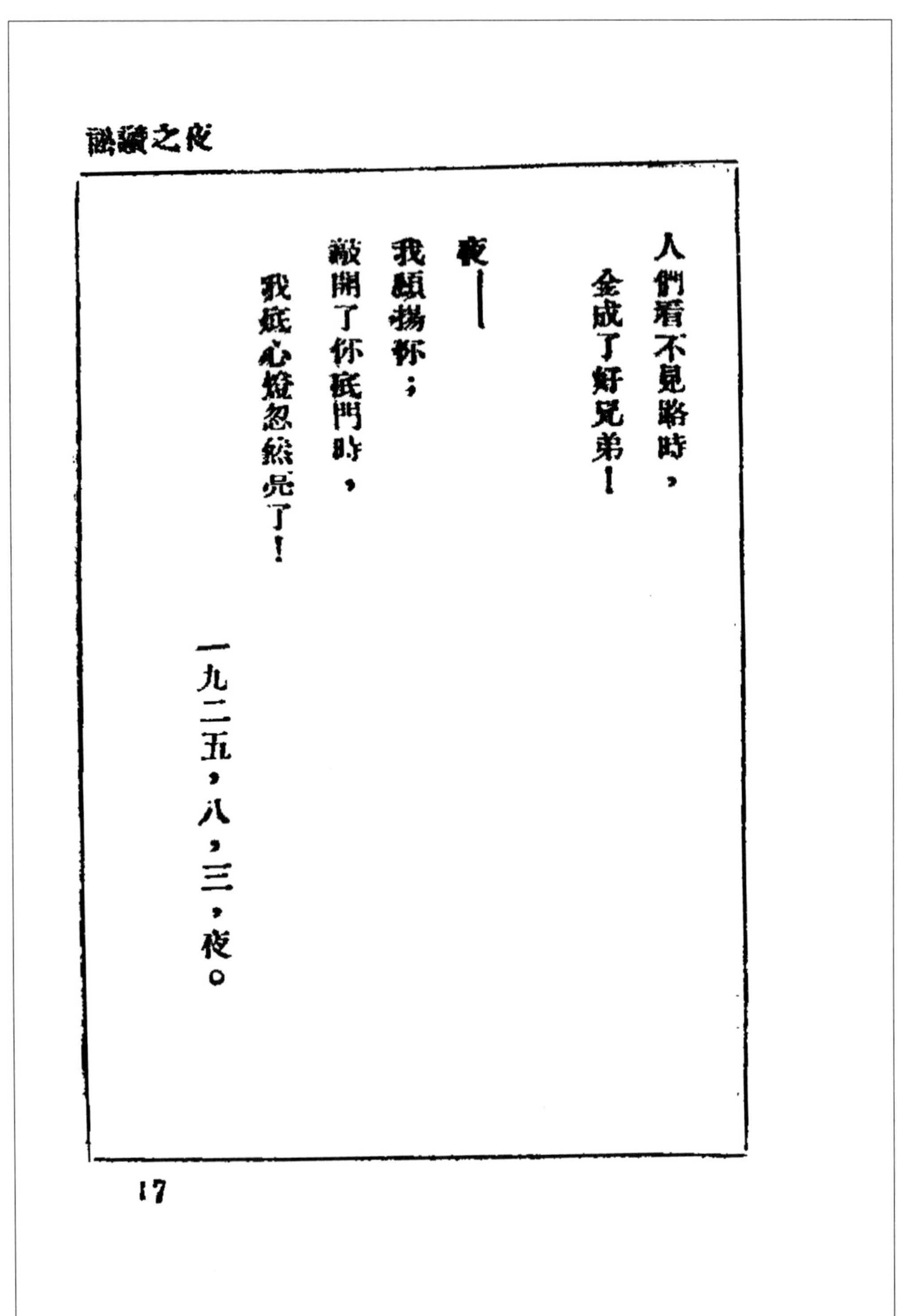

人們看不見路時，
全成了好兄弟！
夜——
我頌揚你；
敞開了你底門時，
我底心燈忽然亮了！

一九二五，八，三，夜。

河邊

涓涓的流水呀！
我又在此伴你呢
聽，你底音聲何等響亮，
你底調兒何等鏗鏘，
我底心絃也怎樣地同你相合？
看，你不留戀地往前走，
不捨晝夜地往前走——

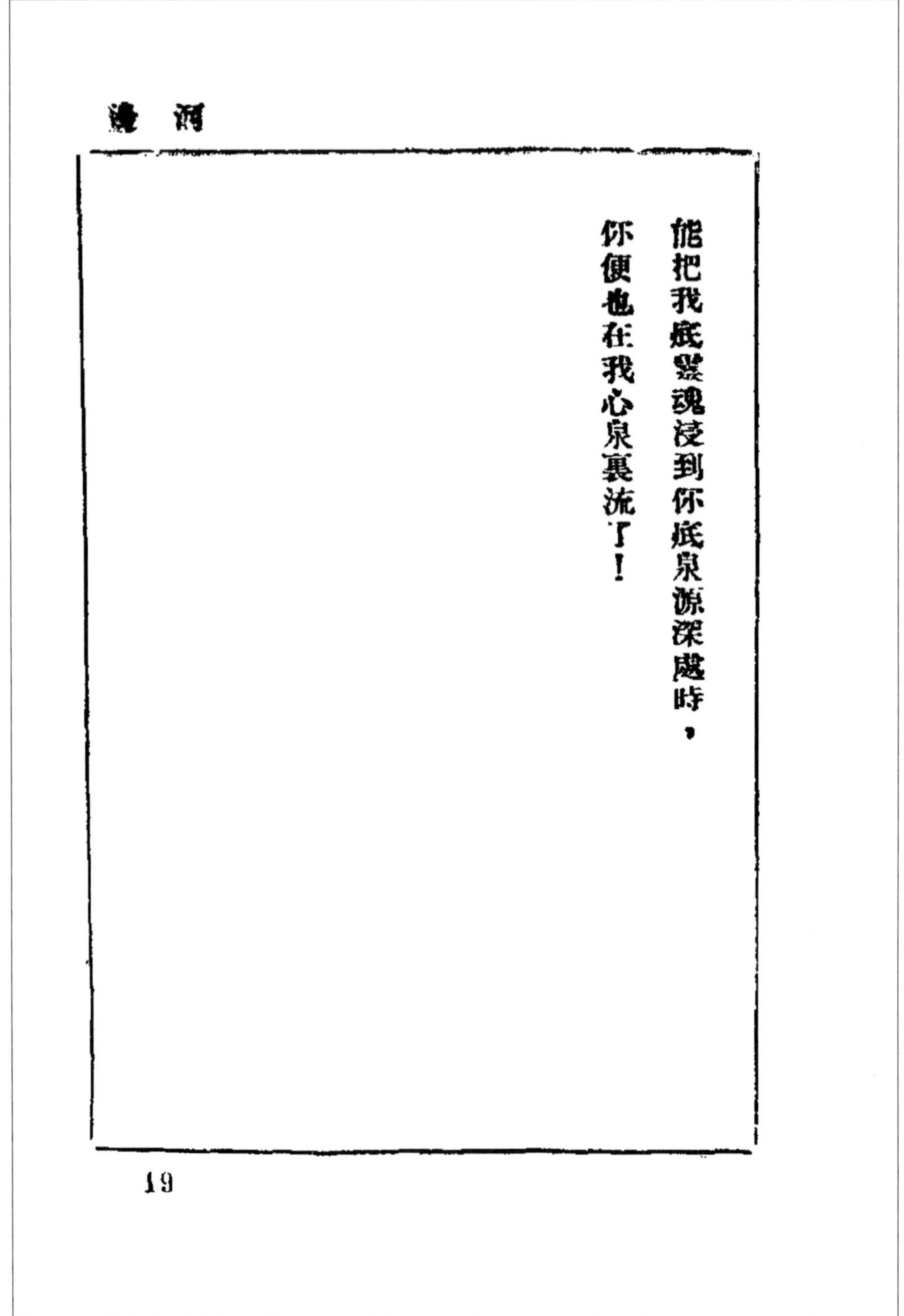

能把我底靈魂浸到你底泉源深處時，
你便也在我心泉裏流了！

夜間

天上的繁星，孤月，
彼此笑迷迷地望著，
忽然來了一片浮雲，
好像展開兩臂，
輕輕地摟住牠們。

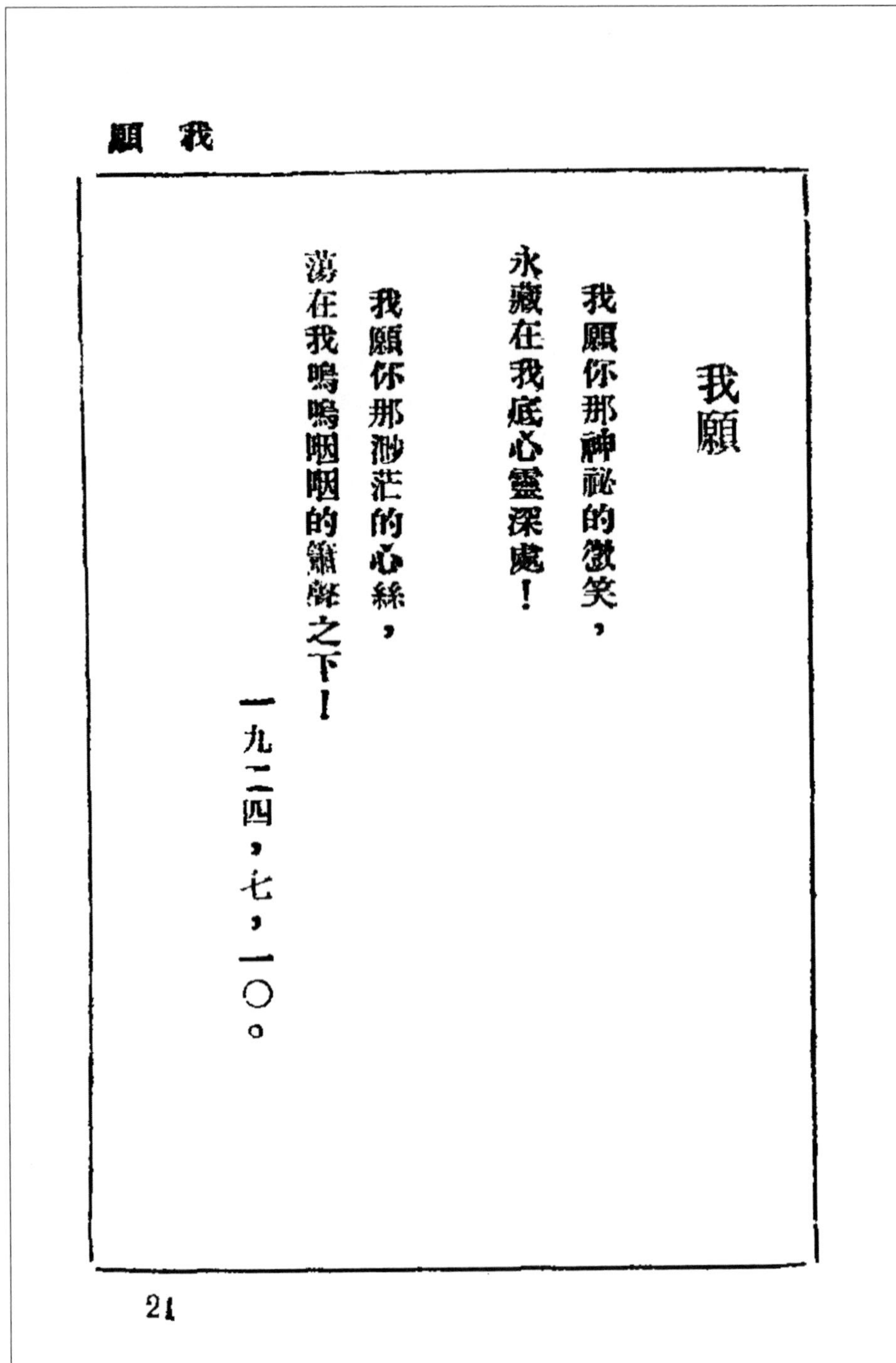

我願

我願你那神祕的微笑，
永藏在我底心靈深處！
我願你那渺茫的心絲，
蕩在我嗚嗚咽咽的簫聲之下！

一九二四，七，一〇。

春風

春風啊！
可辱又相見了，
這是一年的初會，
我感謝你徐徐地吹着我，
已告訴我海國裏的温柔了！

一九二三，三〇。

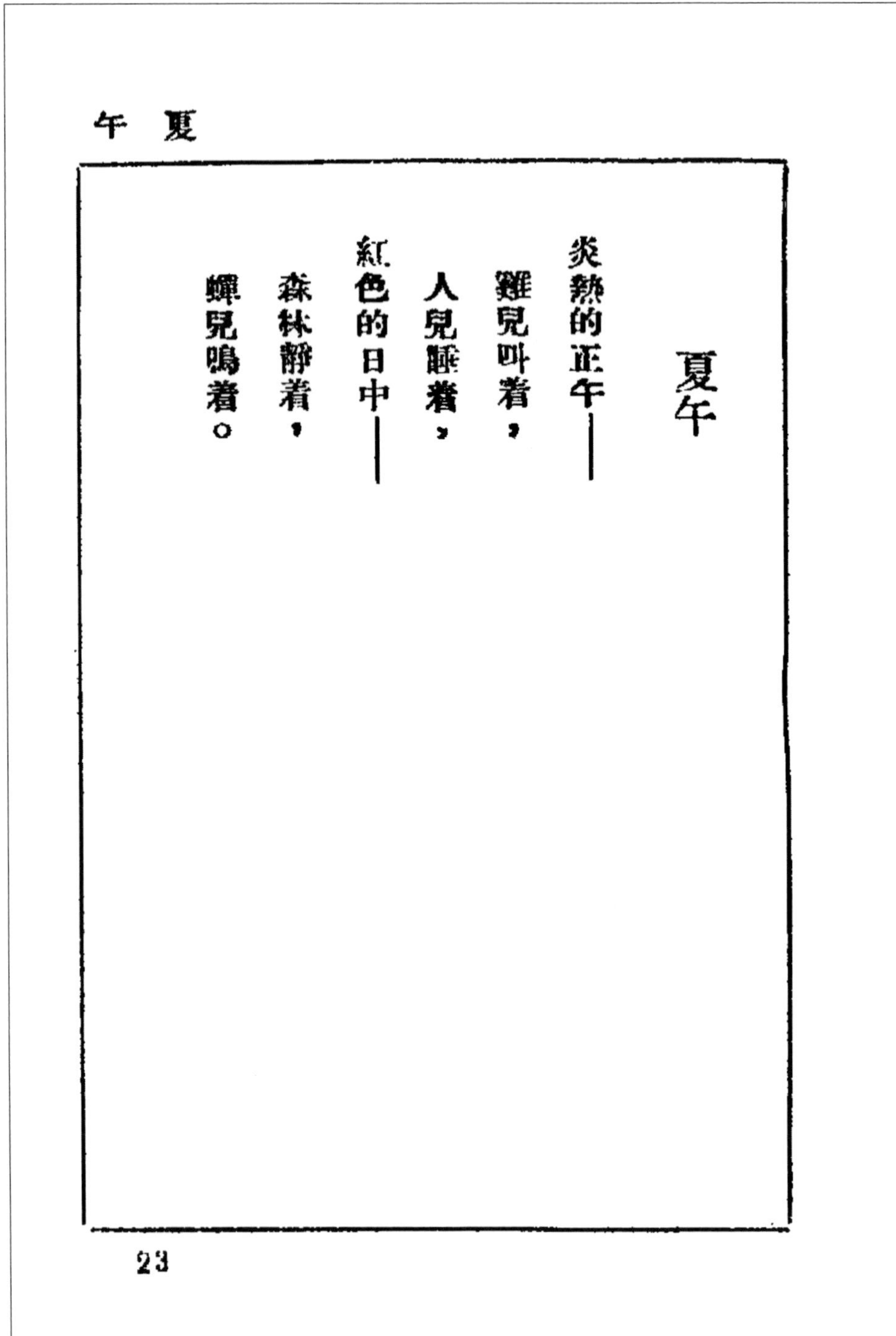

夏午

炎熱的正午——
雞兒叫着，
人兒睡着，
紅色的日中——
森林靜着，
蟬兒鳴着。

夏午

綠葉底簫簫聲，
河水底涓涓聲，
又突然沉寂下去！

風吹濕了的細柳飄飄地擺着，
河水只在蒼鬱的岸下流過。

片片的輕雲——
在空中浮着，

24

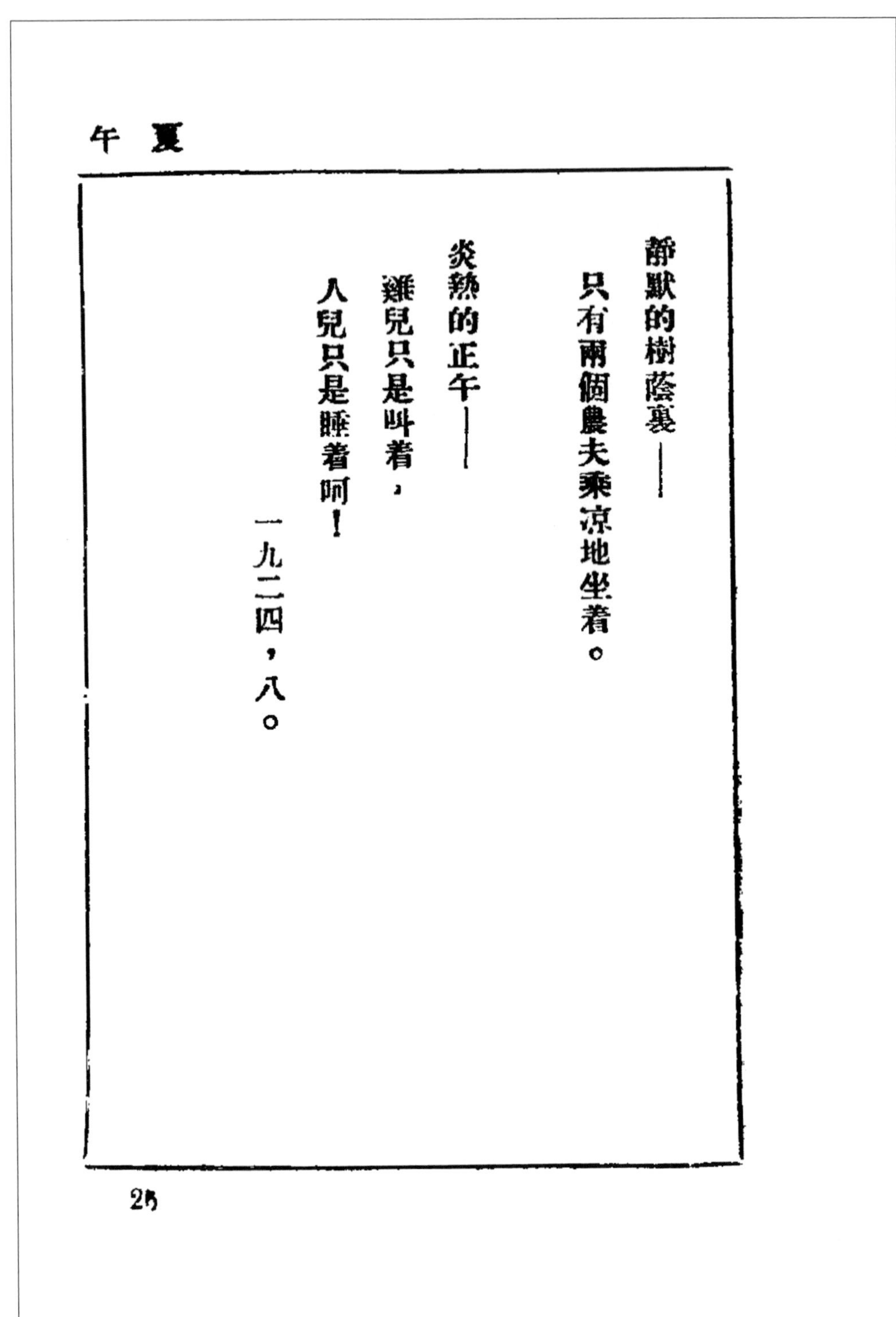

夏午

靜默的樹蔭裏——
只有兩個農夫乘涼地坐着。

炎熱的正午——
雞兒只是叫着，
人兒只是睡着呵！

一九二四，八。

同情

初春的小飛蟲落在指上了，
哦！我底手可千萬不要動——
小心這微弱的生死關頭啊！

三，八，一九二五。

人生

人生在世間，
是站在籬外看花的行路者嗎？
還是坐在草地上玩耍的小孩子呢？

一九二三，五。

倘若

倘若我底心掛在微風吹着的樹梢上，
沒有人能捉住吧？
倘若我底心繫在弓月的兩端上，
沒有人能曉得吧？
倘若我有一個網，
我願打住天上底月。

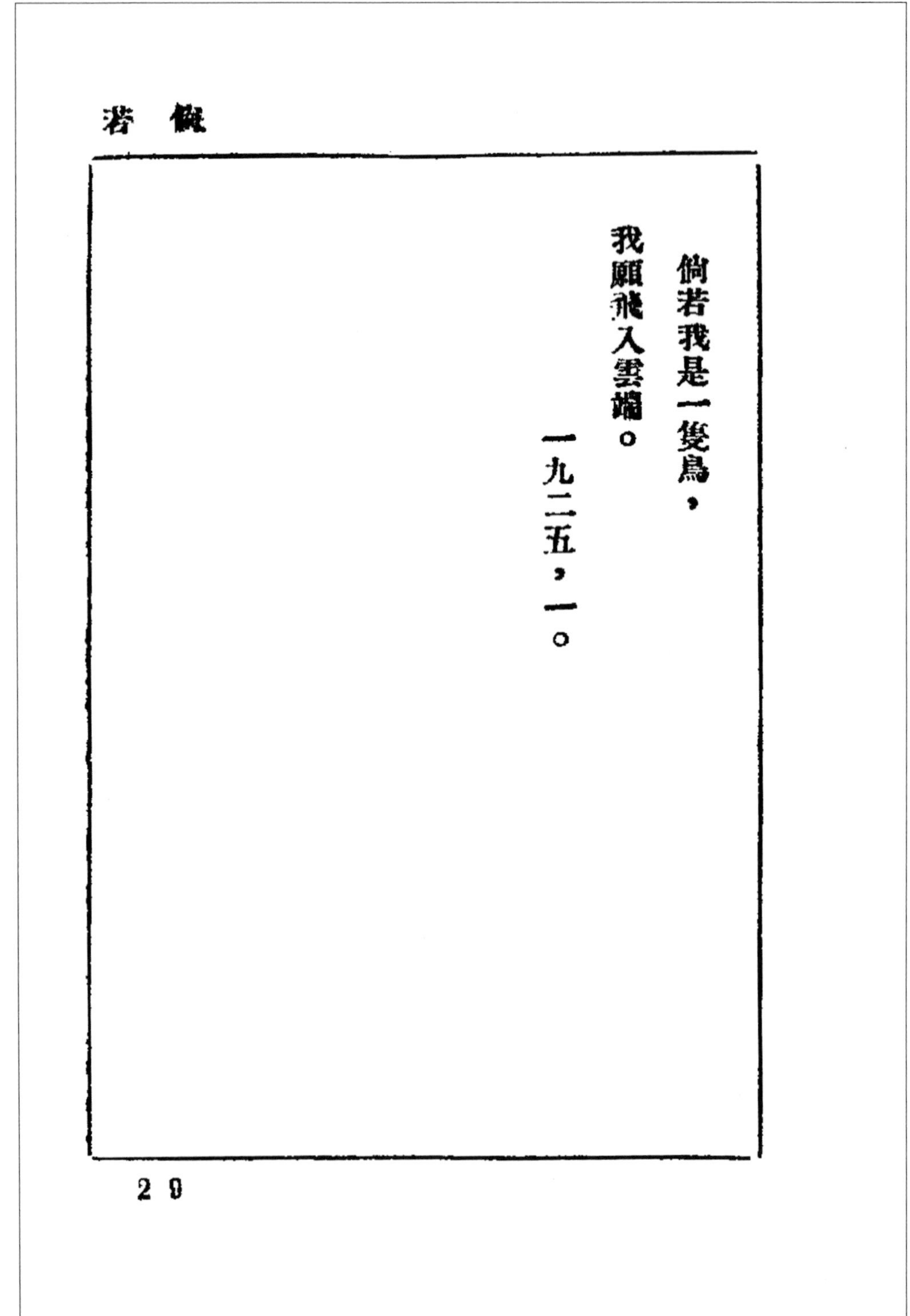

倘若我是一隻鳥，
我願飛入雲端。

一九二五，一〇

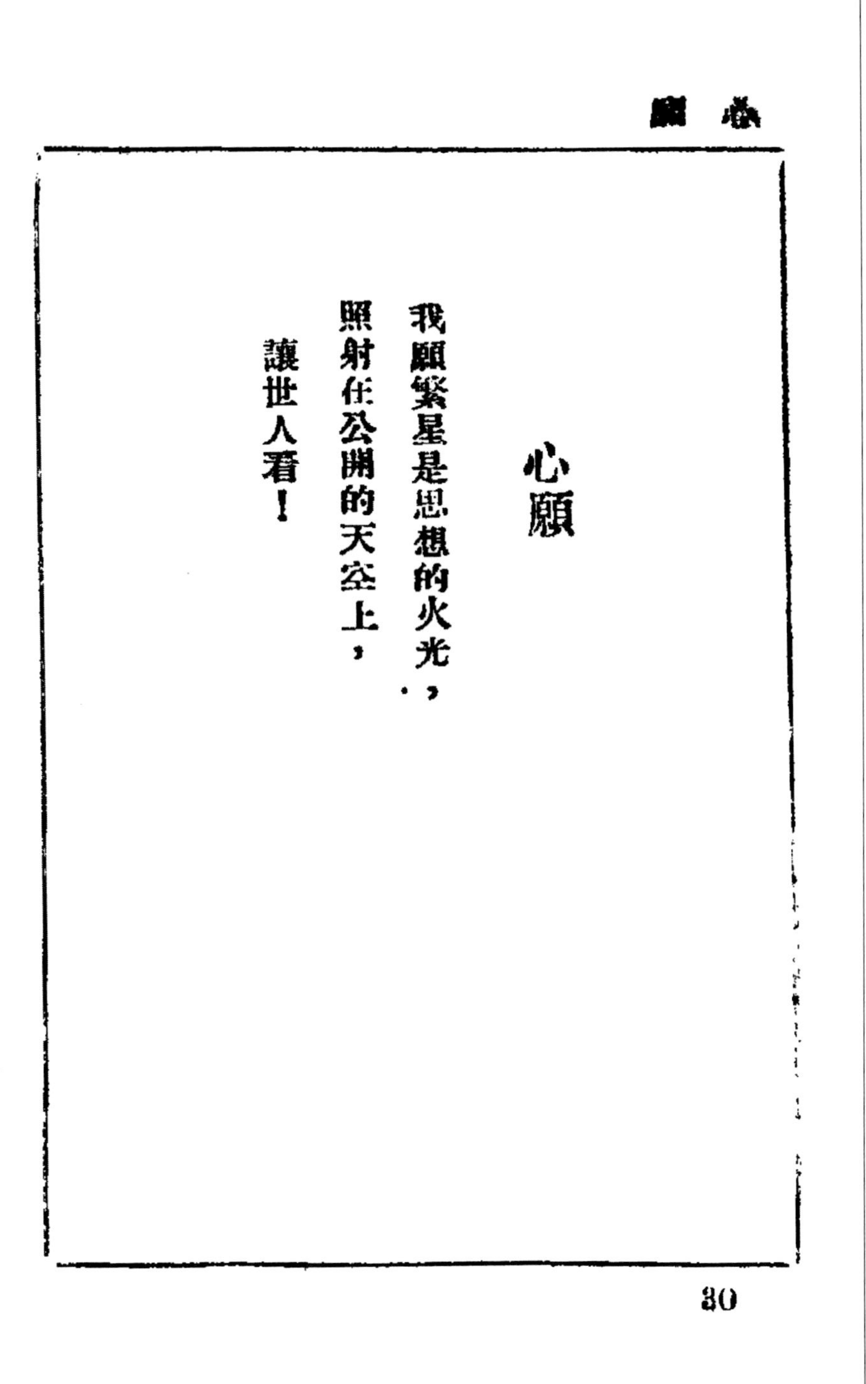

心願

我願繁星是思想的火光，
照射在公開的天空上，
讓世人看！

30

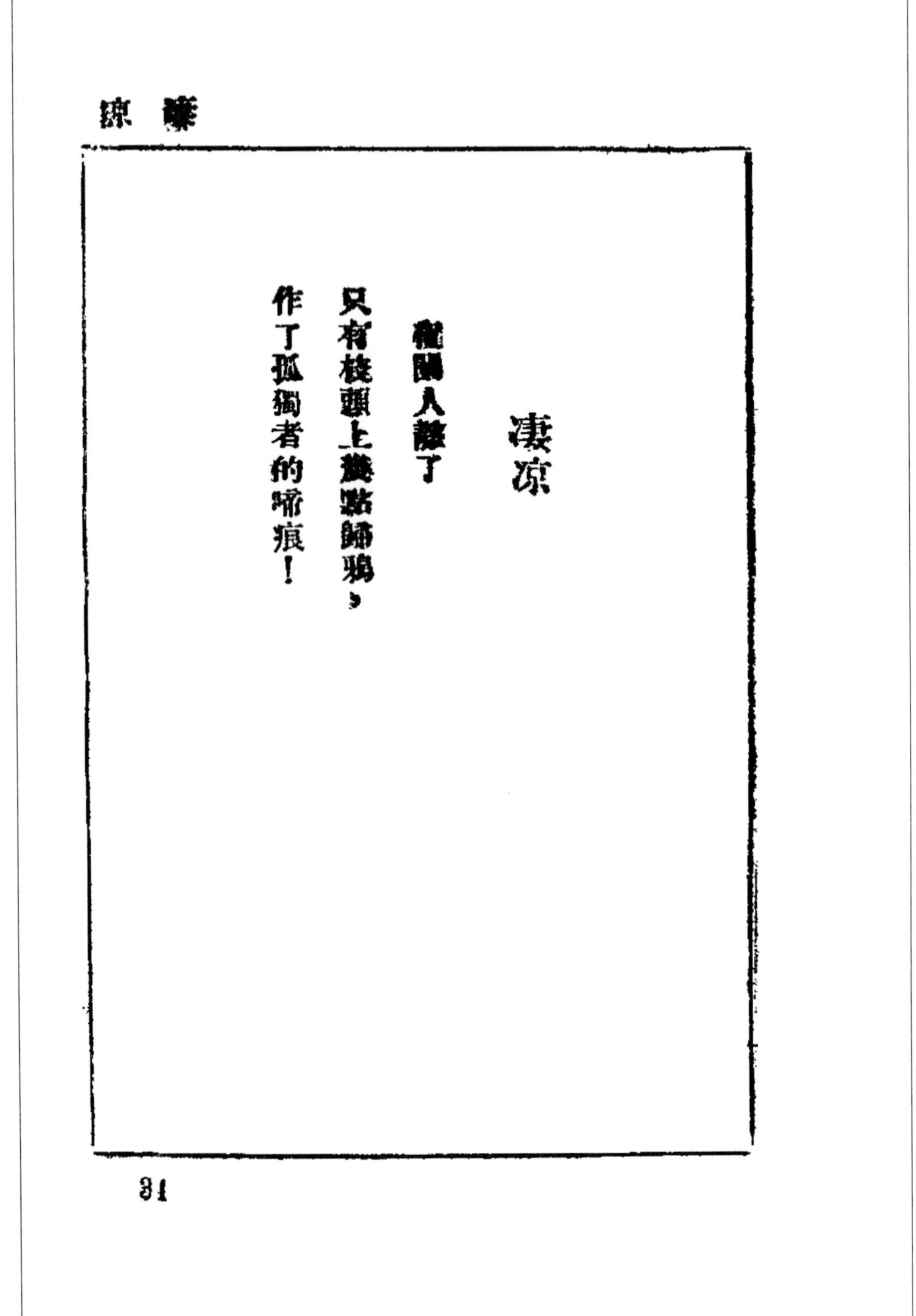

凄涼

夜闌人靜了
只有枝頭上幾點歸鴉，
作了孤獨者的啼痕！

自慰

熟睡着吧，我底心，溫柔的赤子之心，
睡在你慈母的懷裏，
給你唱着甜蜜的歌兒！

三，九，一九二五。

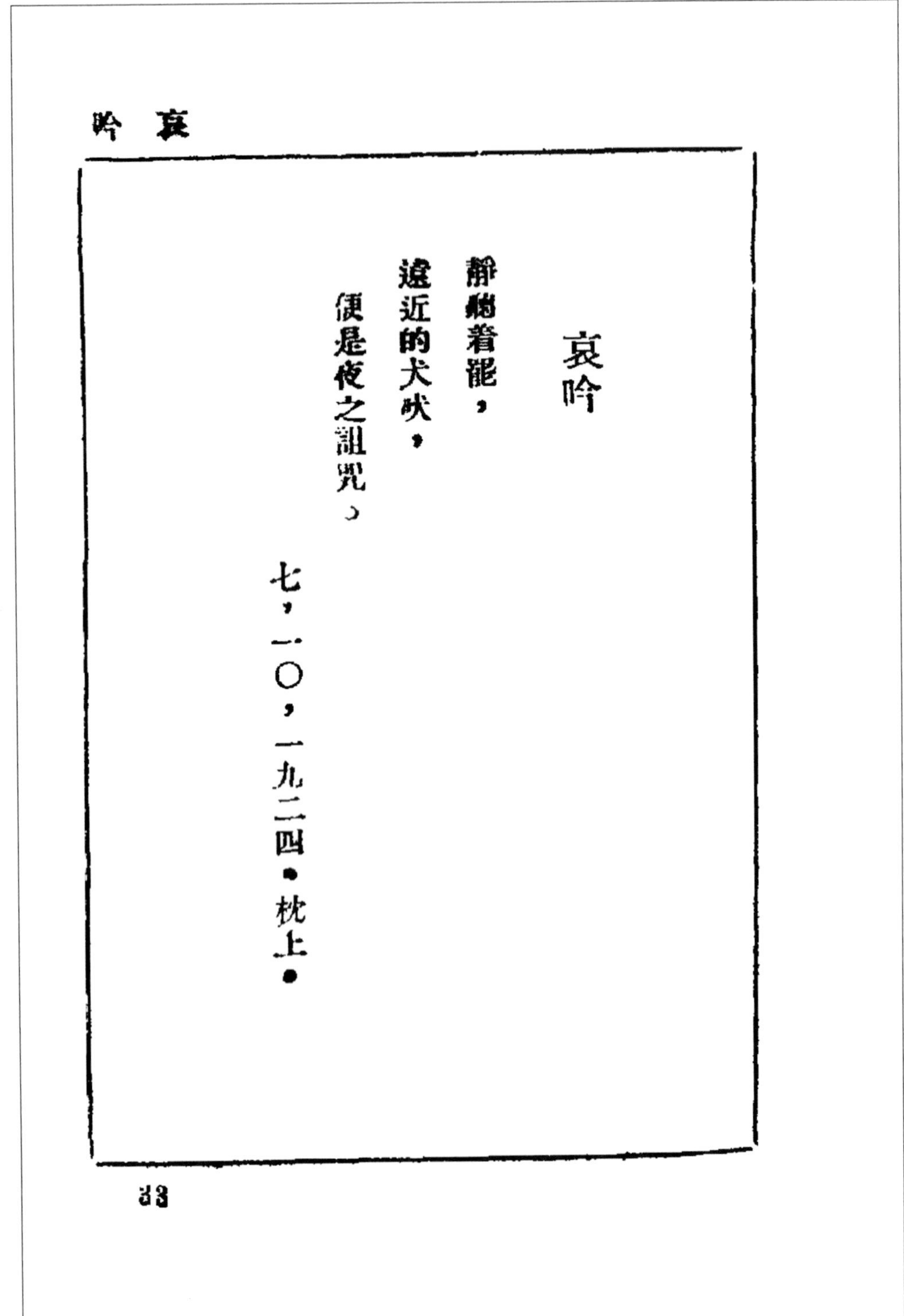

哀吟

靜躺着罷，
遠近的犬吠，
便是夜之詛咒。

七，一〇，一九二四・枕上・

春日底力量

天上的——一片，兩片的浮雲，輕輕地隨着柔風向前移動，慈祥可愛的太陽，顯出了和悅的面龐；好似掀開這層雲簾，向大地的萬物談心：「我底好孩子們哪！你們在這裏遊戲呢嗎？…………」

這時小鳥唶的一聲從我頭頂上飛過，如一根細絲，將我底心思牽去！

○

潺潺的河水，淡碧而澄澈，唱着鏗鏘的調兒，響亮的調兒，只是不留戀地往前流，彷彿是有什麼事情等候牠呢！

柳條兒綠了，鴨子隊綠了，農家的心也綠了。愁眉斑白的農夫，展開了歡喜的面龐；傴僂的村婦也微笑着，隨着的幼女，童子，只是跳躍，呼喚，他們充滿了希望在田野。

我和我底朋友沿着小河緩緩地走着，也不住地談着明媚的景色；溫柔可愛的天氣。但這時覺得我底靈魂，隨着遠處的

春日底力量

初春的氣兒飄去了；使我神志——猶疑，恍惚，超遠！

三，五，一九二五。

36

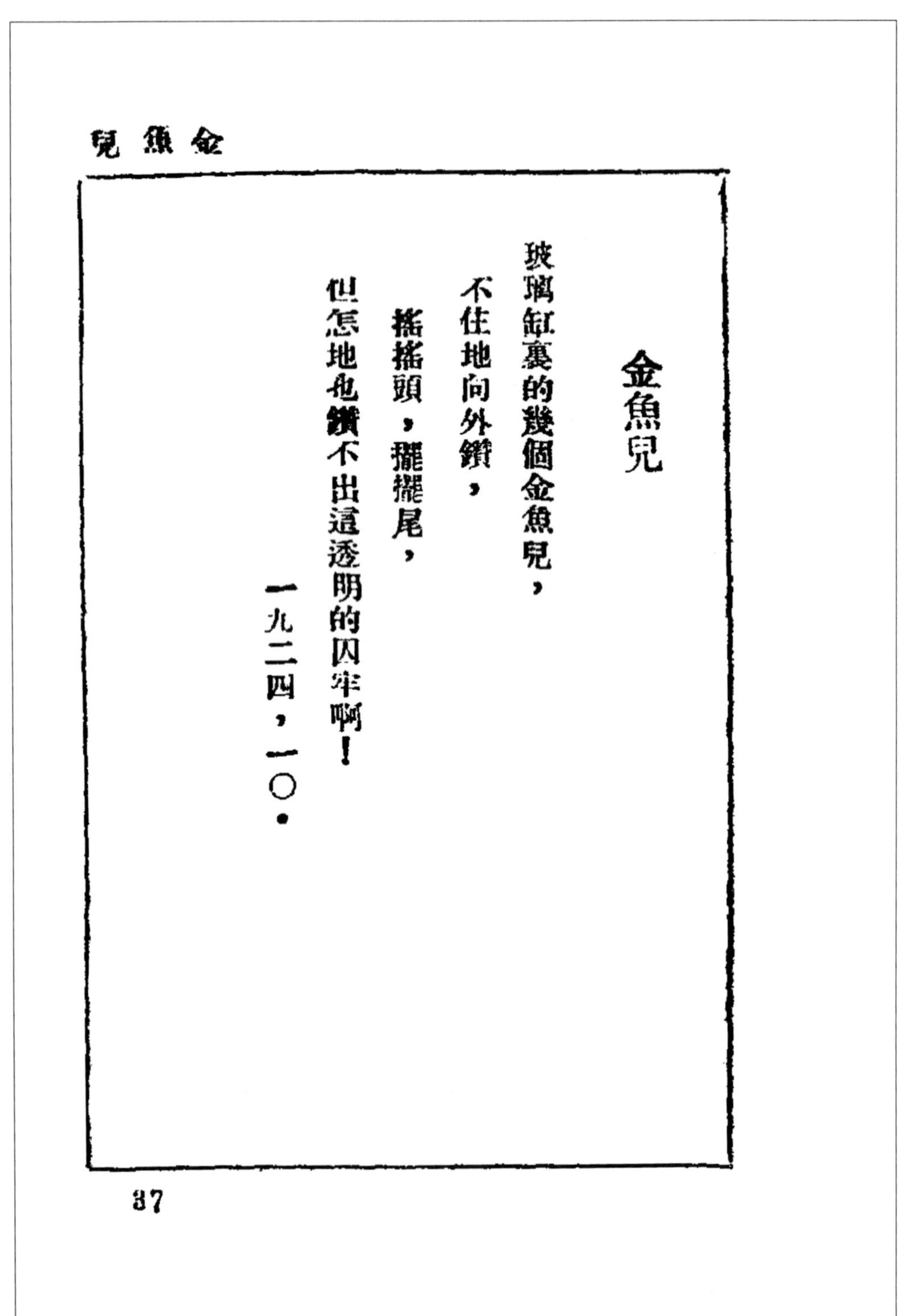

金魚兒

玻璃缸裏的幾個金魚兒，
不住地向外鑽，
搖搖頭，擺擺尾，
但怎地也鑽不出這透明的囚牢啊！

一九二四，一〇．

贈靑年人

小小的草兒呀！
怎的春風一吹，
便發綠了芽兒，
却不想急風暴雨裏的哭啼？
看啵！秋深了！
全身漸漸地枯萎了，
這是最後的安息啊！

草兒沒的可想了，
却說了聲——
「謝上帝！……」

招領

熱鬧的廟會上，
擠不動的男女老少的人們，
唱戲的臺下，
就是踩掉了鞋，
誰不想看一眼呢？
正在叫好的聲中，
哄的一聲——

招領

有掉了鞋顧不得拾的，
有挾上孩子顧不得抱的，
有把廟貨扔了的，
拚命地往四下一擁，
從先寶貨的小攤，
　本是不肯讓人擠，
　　現在也撞倒了。
大街的當中讓出來了一條路，
　在人羣中——

招 僱

嗚……嗚……嗚……

……擁出來了一輛載滿了兵的大汽車

這時自己顧自己還顧不到，

誰還管旁人，

喝！這是誰撒出來了一隻鷹

嚇得這些小鳥們丟了魂？

汽車過去了，

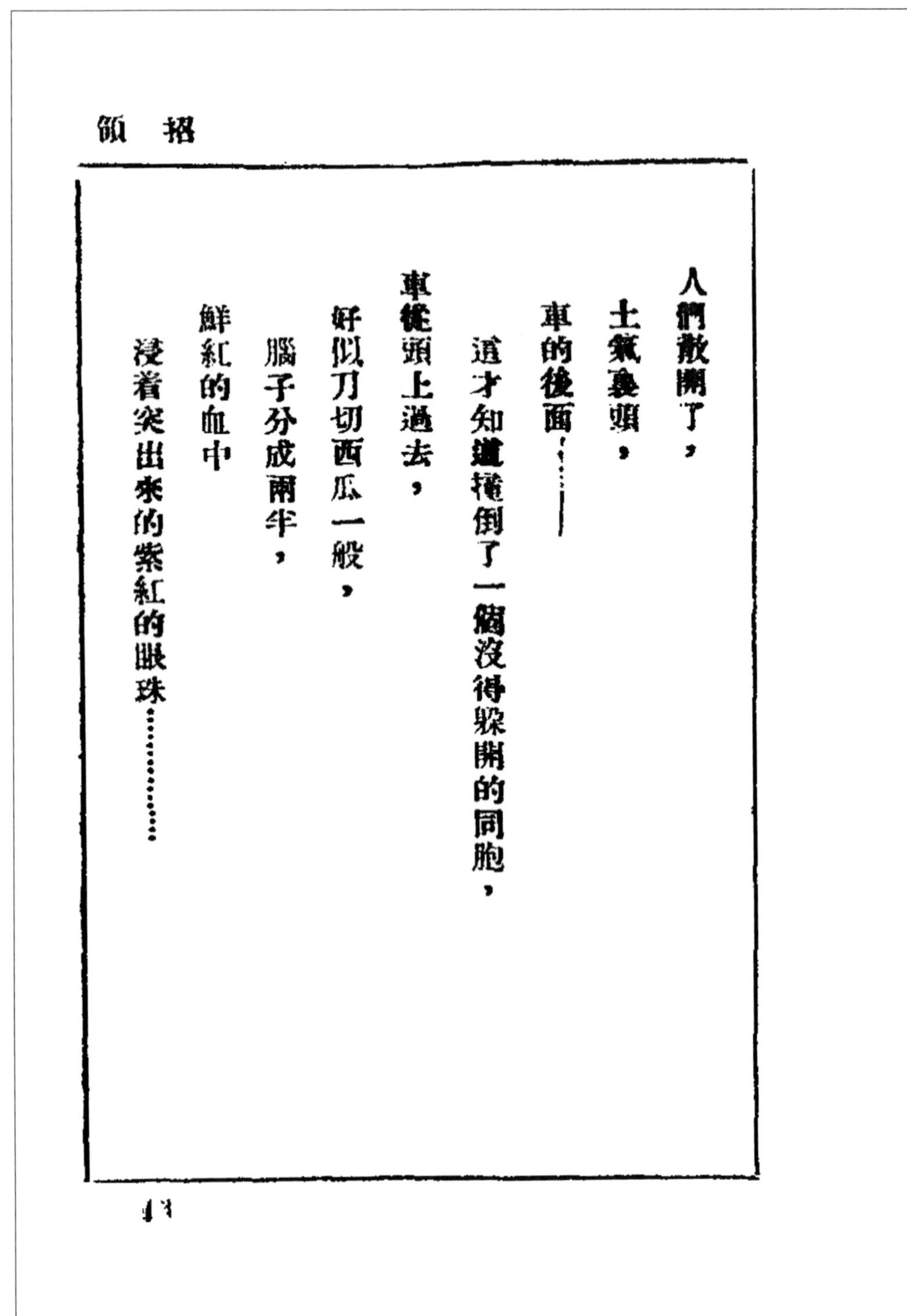

人們散開了，
土氣裏頭，
車的後面……——
這才知道撞倒了一個沒得躲開的同胞，
車從頭上過去，
好似刀切西瓜一般，
腦子分成兩半，
鮮紅的血中
浸着突出來的紫紅的眼珠……………

招領

驚慌失色地圍了一大羣人看着。

今天廟上，
破牆角下，
　遮着一領小蓆，
蓆角邊，露着蓋不上的一截腿；
攔着繩子的地方，
　立着兩個穿青衣的警察，
牆上插着一面小白旗。

44

招領

來來往往的人們，
走到那兒，
都停步看一看，
也有知道是怎的回事的，
也有不知道的，
但知道的人
都寂寂寞寞的
你看看我我看看你的似乎說：
「昨天軋死的那人招領呢！」

招領

八，四，一九二五，在保定劉爺廟會上。

46

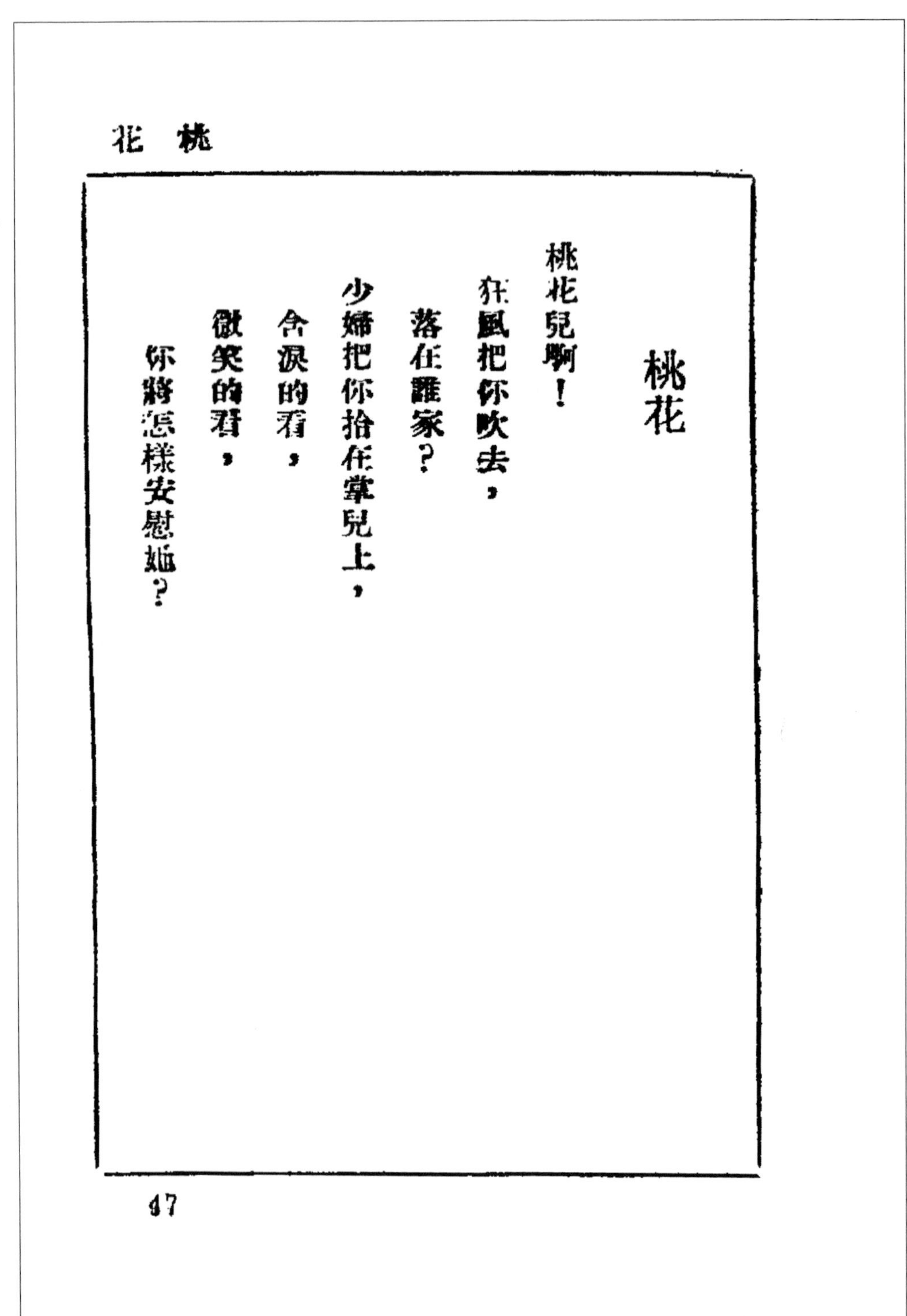

桃花

桃花兒啊！
狂風把你吹去，
落在誰家？
少婦把你拾在掌兒上，
含淚的看，
微笑的看，
你將怎樣安慰她？

微思

同情的朋友囘了家，
我少了知心的伴侶，
但誰伴着親愛的朋友呢？

我底朋友！
你才說了聲今天囘家，
我底心便嚇了一跳啊！

一九二四，二一。

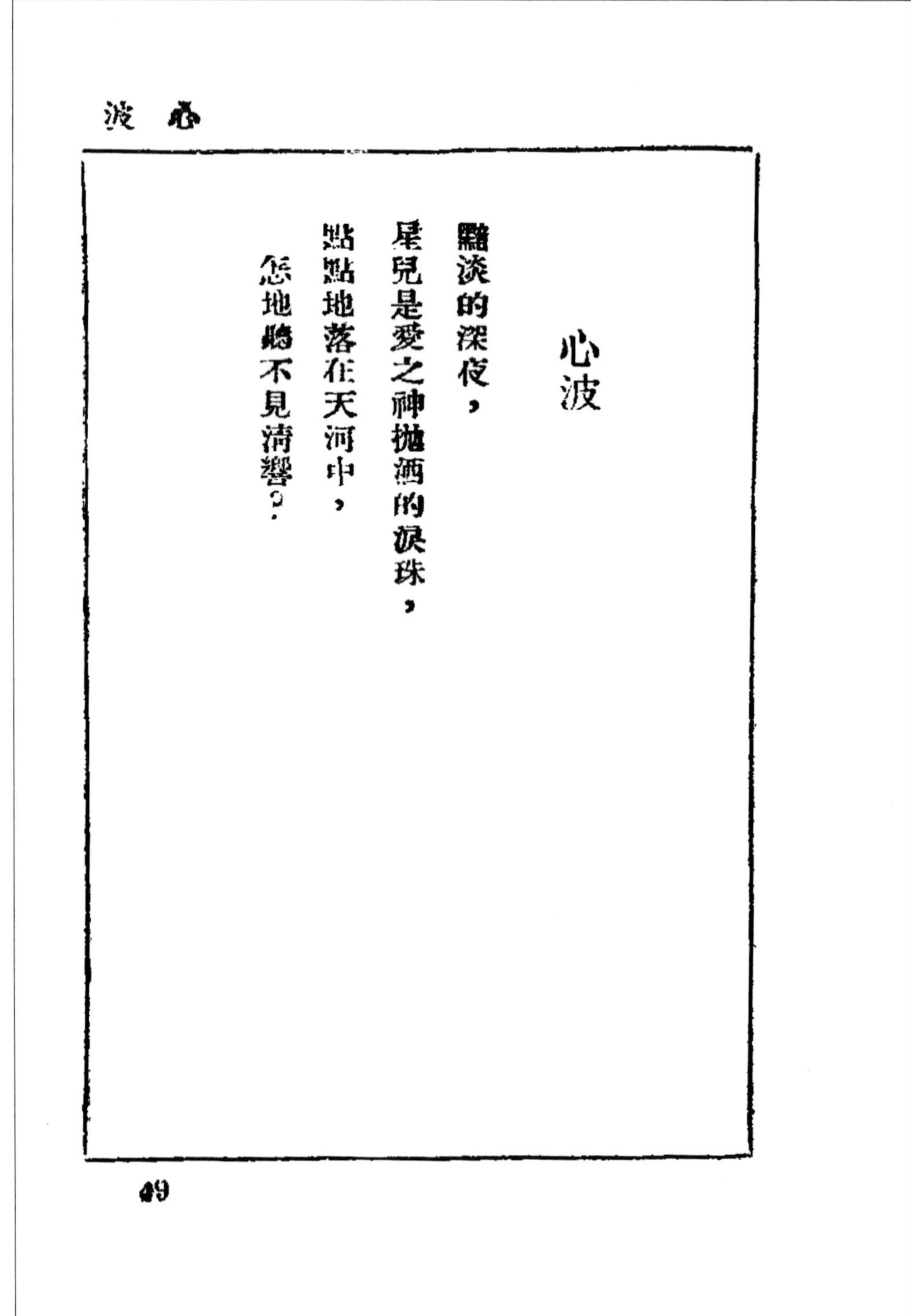

心波

黯淡的深夜，
星兒是愛之神拋灑的淚珠，
點點地落在天河中，
怎地聽不見淸響？

徘徊

無意地走來走去，
是她的夢魂兒，
在我腦中成了幻影。

無意地走來走去，
是豁朗的月波中，
笑嘻嘻地洗了個澡。

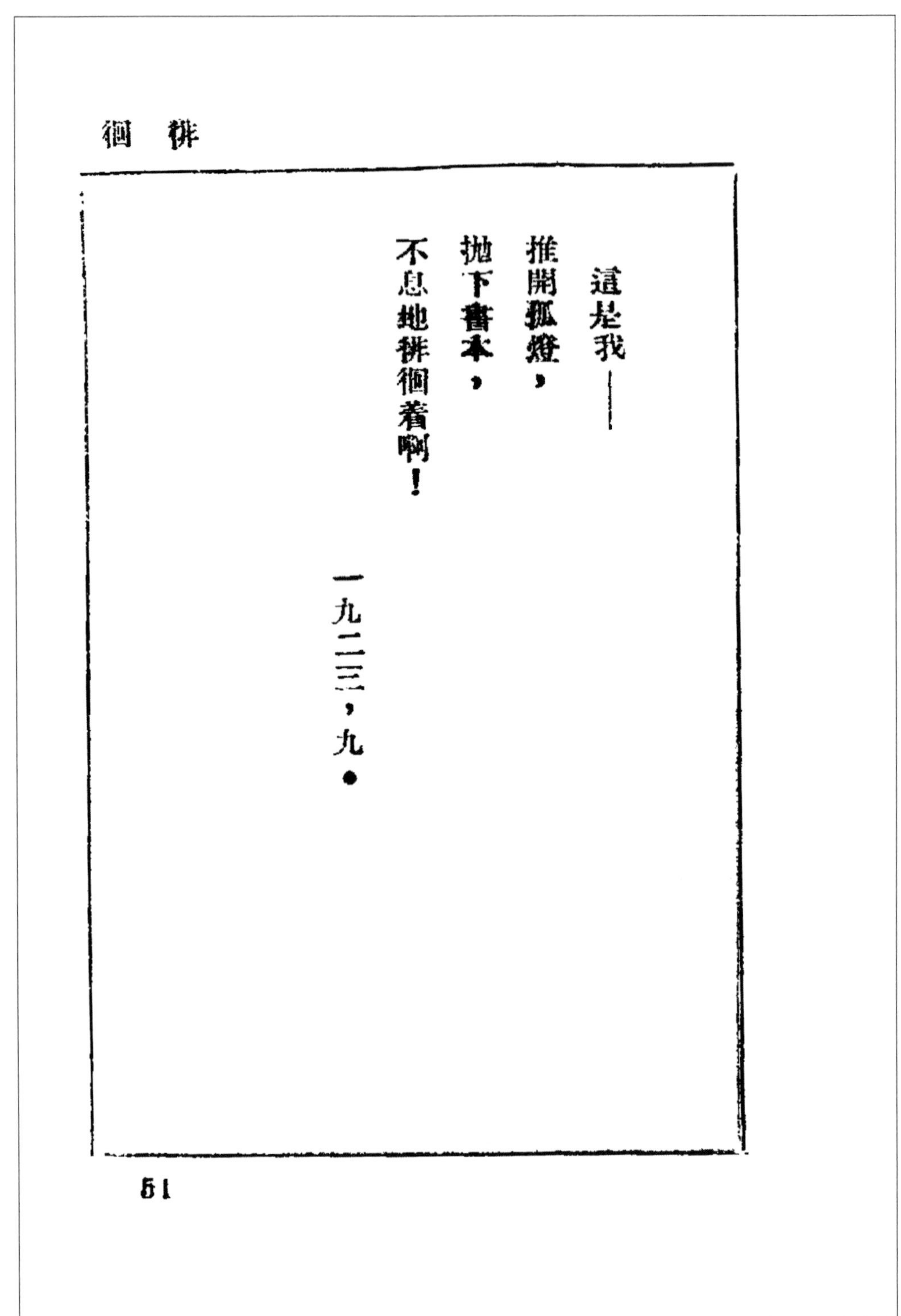

這是我——
推開孤燈，
拋下書本，
不息地徘徊着啊！

一九二三，九。

問路

在小巷裏——
遇上了一位美妙的姑娘，
我想問問道路，
但伊側身看了我一眼，
我便不肯問了！

在小巷裏——

問路

遇上了一位美妙的姑娘，
　我想問問道路，
但伊含笑的臉對着我，
　我便不好問了！

誘惑

嬌艷的姑娘啊！
　你何曾和我戀愛過呢？
但微笑着對我說了幾句話，
　　你那顫動的音波，
　　　已促起我心絃的共鳴了！

牽惹

夜正深呢！
愛人踏月從我門前歸去
攪了我的夢——夢兒做不成，
她脚步的響聲一步比一步的高了，
我底思潮也一步比一步的遠了，
最後，最後，我底思潮漸漸地繞住她底足音。

回憶

我回憶起幼年來，
如同一場夢罷了——
冰層上，
雪地裏，
腰中掛着小竹刀，
手中執着短柄槍，
小紅旗兒擺着說：

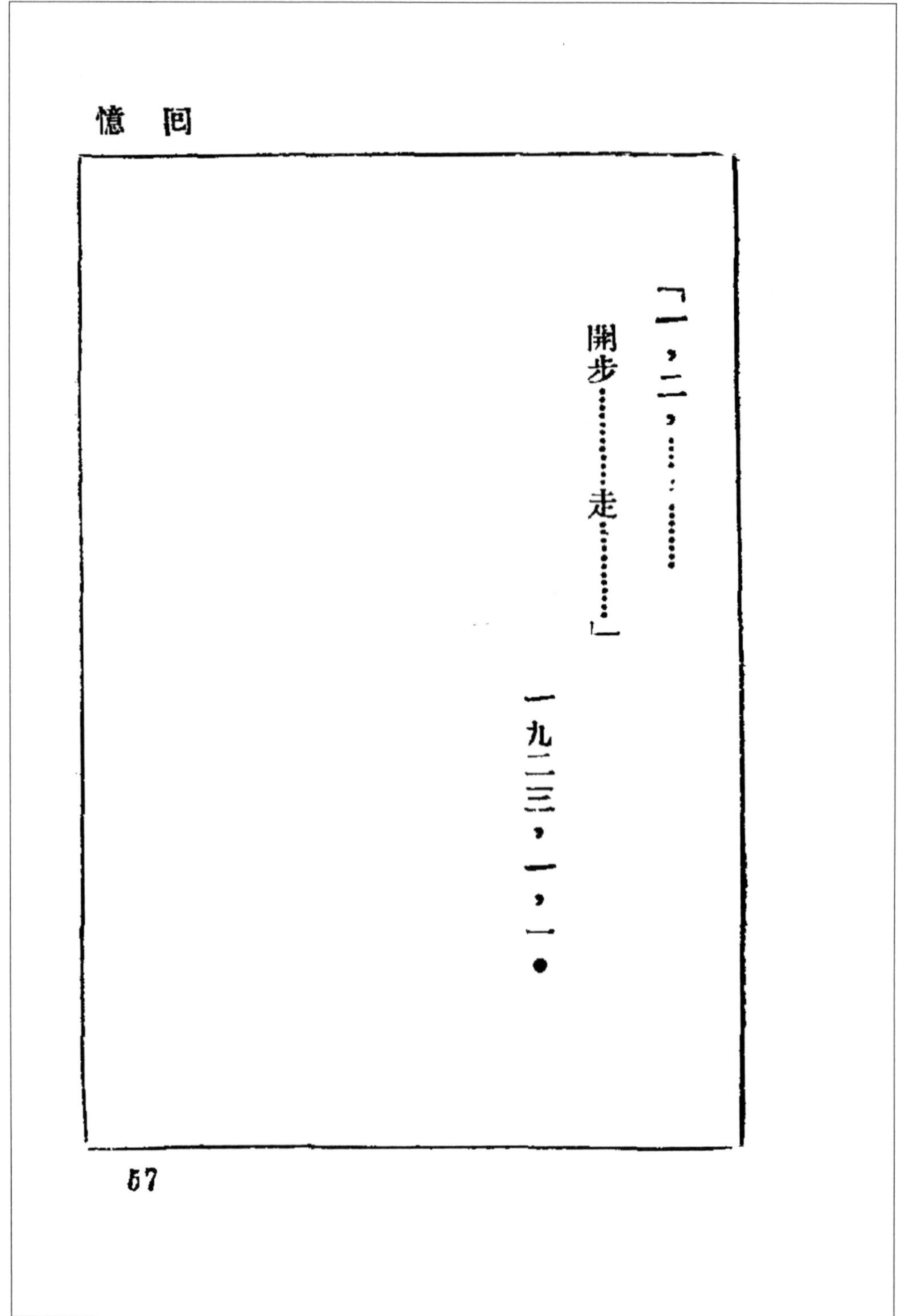

「一，二，……，……

開步………走……」

一九二三，一，一。

担憂

家啊！
什麽時候能忘下你？
哦！心裏的愁雲濃了！

家啊！
從此不要尋找我，
爲了你，我又白了幾根髮兒了！

舊痕

這是我一生不能忘的事，
已有七八年了，
夏夜底乘凉——
樹蔭裏，
明月下，
父親底笑聲，
母親底縫衣，

舊痕

姊，妹，兄，弟底跳躍，呼喚，撲蟲，
和諧的音樂，
美妙的圖畫——
天然愛之神秘，
佈滿了過去的路程，
融化了現在的趣味，
一切，一切都在甜夢的茫茫裏，
殘燈幢幢的影裏了！
一九二三，五。

60

但是

我眼裏含着熱淚，將我生命的圖畫展開看；一幅一幅地看
倒不忍放下，又不忍地拿起，我只願把淚滴在上面，留下
些痕跡。

　不能忘了的——
　那能忍住的——
童年的快樂；
現在的隱痛，
但是——只唱着眼前的歌兒！

隱痛

望着蔚藍的天，
對着冷淡的樹，
憶起死去的父親，
想起獨居的母親，
看！在迷離日色照住了的
茫漠的旋風中
飄飄飛着的柳絮啊！

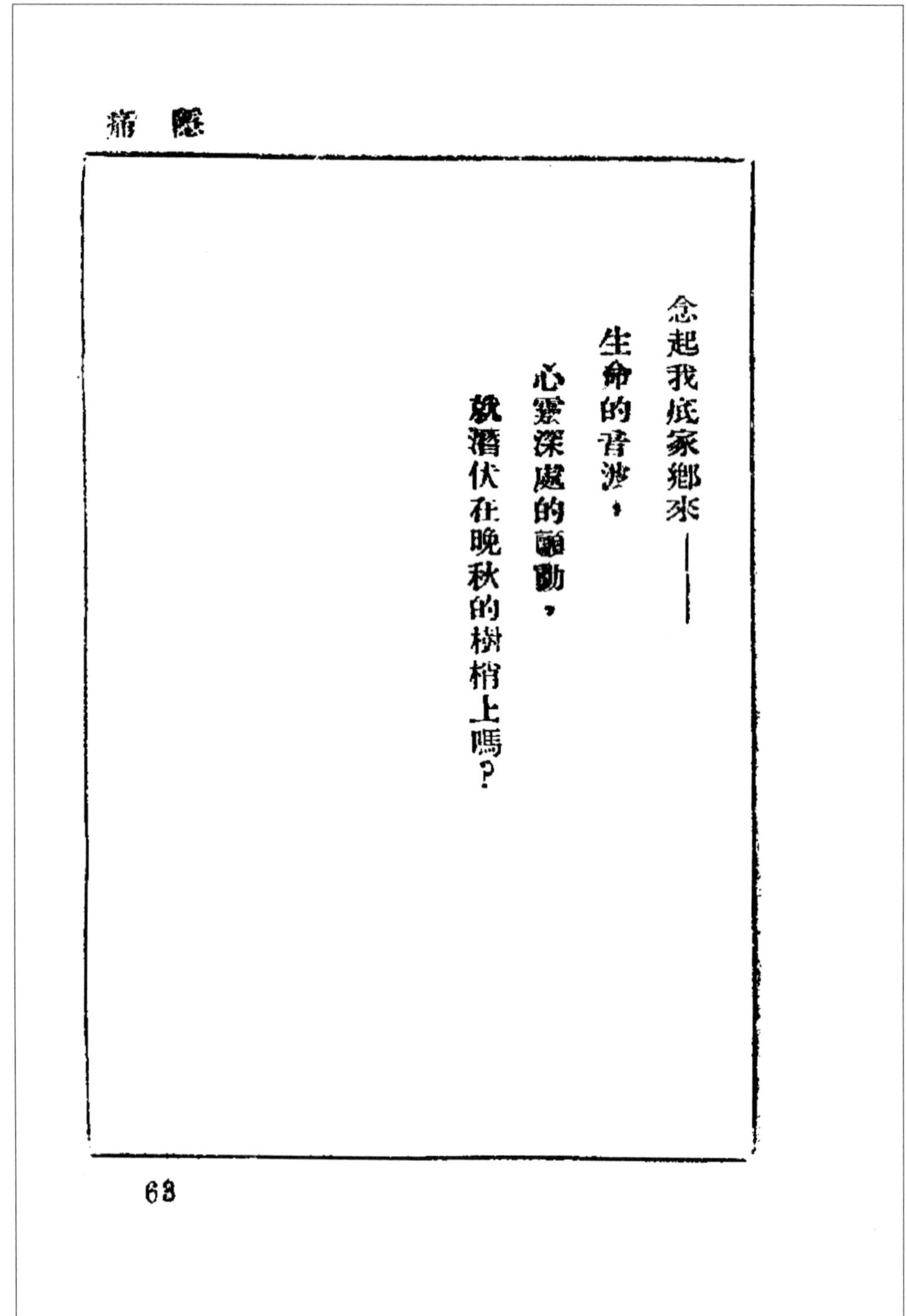

念起我底家鄉來——
生命的音波，
心靈深處的顫動，
就潛伏在晚秋的樹梢上嗎？

別離歌

別了罷！我底家鄉！

秋深了——

　樹葉飄零了，

　花草枯萎了；

一行一行的雁兒向南飛，

病中的老祖母臥在屋裏。

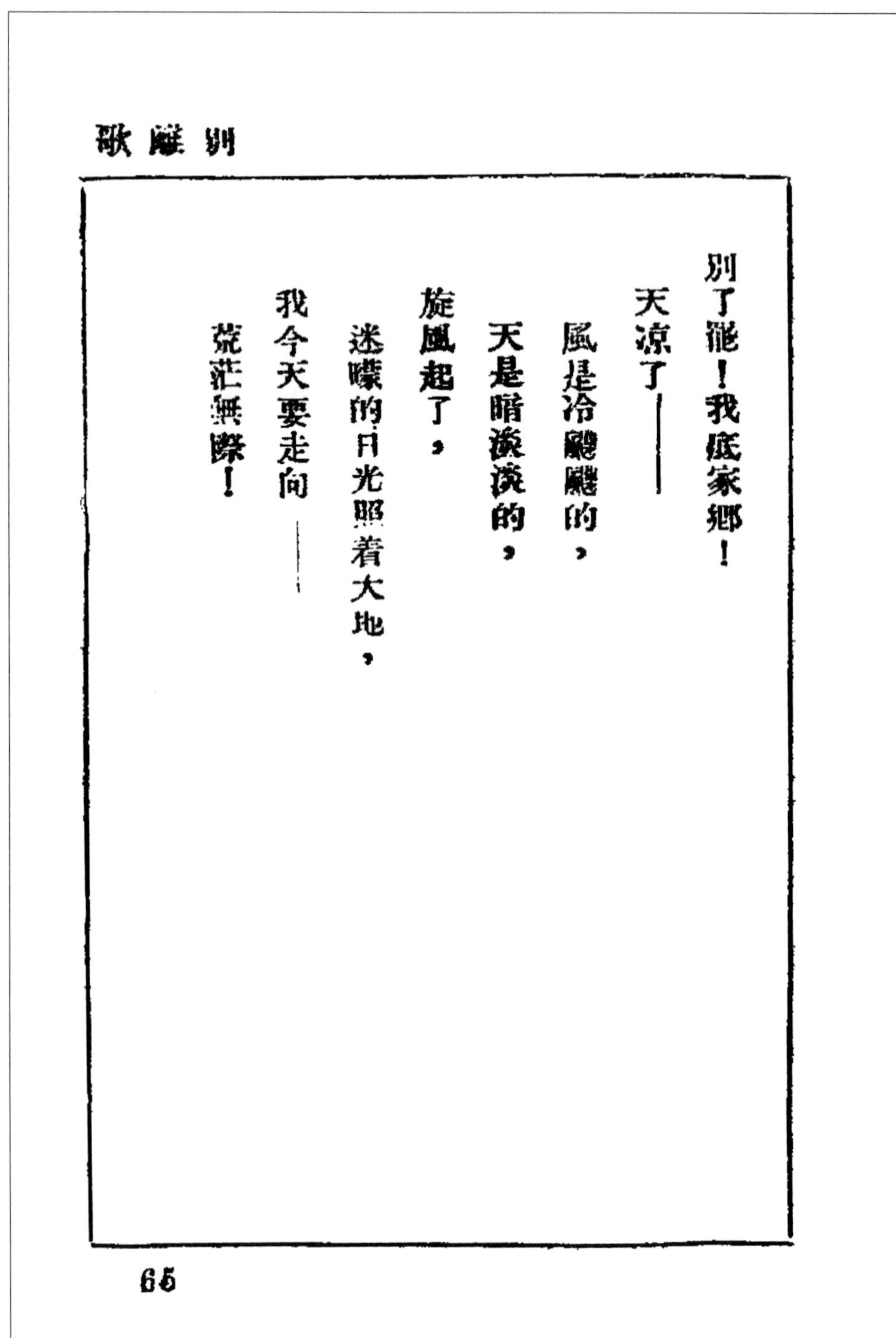

別了罷！我底家鄉！
天涼了——
風是冷飕飕的，
天是暗淡淡的，
旋風起了，
迷矇的月光照着大地，
我今天要走向——
茫茫無際！

別了能！我底家鄉！

看家的狗兒——

跟出門來，

我閃身時——

看見了她閉門時的臉兒，

我知道老祖母正在屋裏呻吟呢！

別了罷！我底家鄉！

風仍是聽着，

日光彷彿是睡着，
我只躲着偷彈淚，
灑向鴛衾！

三，一二，一九二五，在京漢車站。

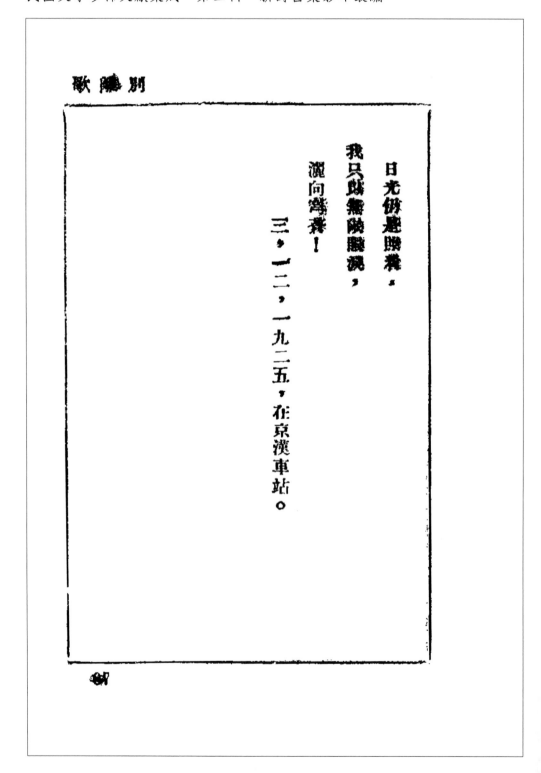

希望

自然！
你在那裏？
茫茫的宇宙間——
狂暴的風，
激烈的雨。
渺漠的曠野裏——
花兒的笑容，

鳥兒的歌唱，

這也許是人類永久的家鄉？

跡痕

痕跡

遠行的旅客，
在門外一步一步地走過的時候，
我在似夢非夢中數着，
用筆記了他脚步的淸響，
好了！遠行的旅客啊！
我底紙上已留下你底痕跡了！

10

贈友

滔滔的河水！
流得這樣急；
能替我捨一片紅葉兒，
放在你底流裏嗎？
只願牠漂到我朋友的目前！

祝禱

我底心啊！
化爲小小的石子，
隨着前進的水兒流去能～～～
　不要回頭！不要回頭！

動的宇宙

搖……搖……搖……搖

——如船似地搖——

動……動……動……動

我底心這樣地動，

我底身這般地搖，

動喲！

動喲！

動的宇宙

動喲！

動喲！

樹上，鳥飛，鳥飛，飛，飛，飛，
牀邊，我起，我起，起，起，起，

飛呢！

飛呢！

飛呢！

飛呢！

靜呀！聽呀！靜悄！聽！靜聽…………

74

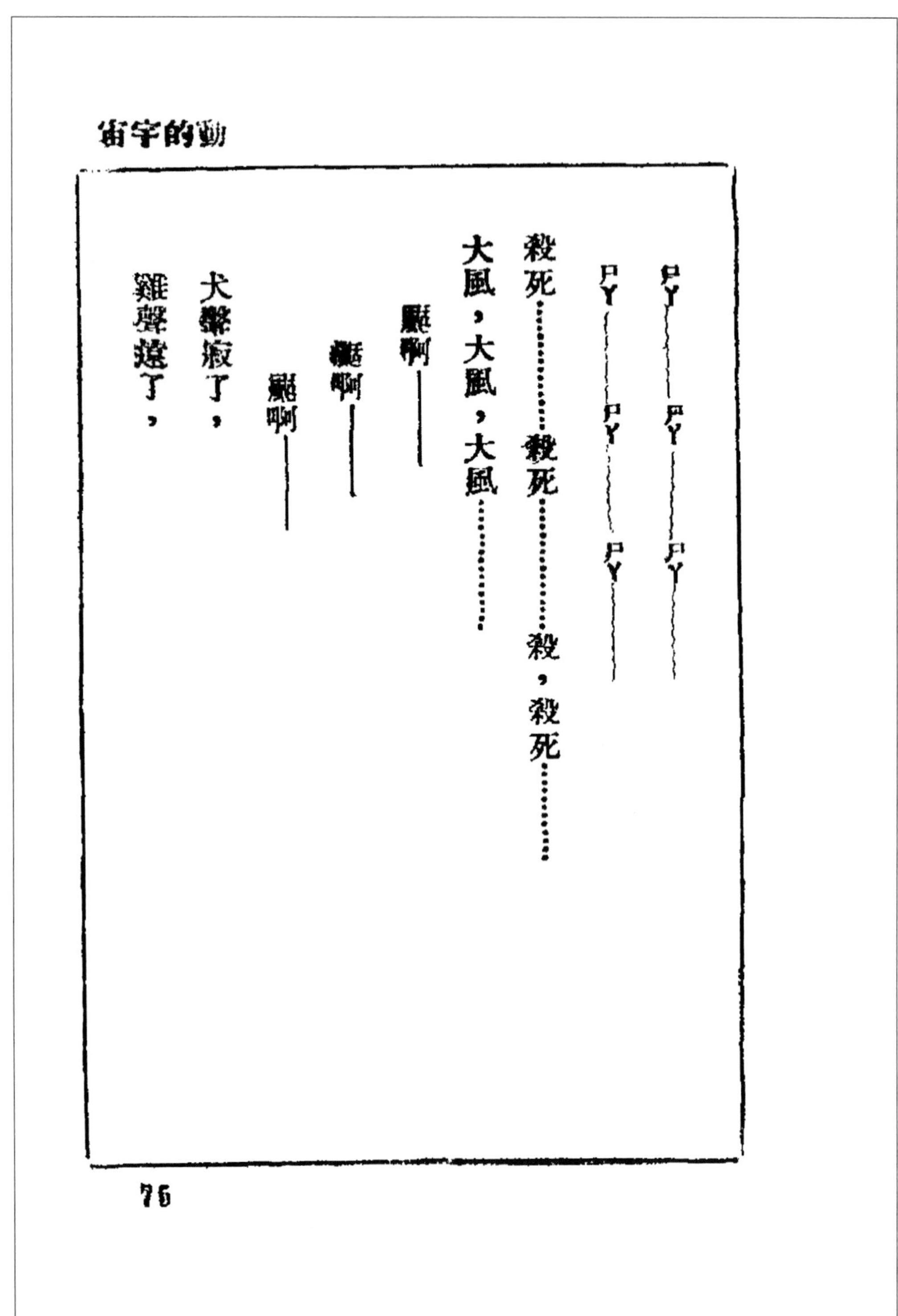

動的宇宙

ㄕㄚ～～ㄕㄚ——ㄕㄚ～～
ㄕㄚ～～ㄕㄚ～～ㄕㄚ～～
殺死……殺死……殺，殺死……
大風，大風，大風……
颳啊——
颳啊——
颳啊——
犬聲寂了，
雞聲遠了，

生——死

海中石

沉——沉——沉

睡人，睡人，睡人，

死屍似的，肉堆似的，石像似的睡人，

嗯…………

嗯……嗯…………

ㄕㄡ……ㄕㄡ……ㄕㄡ

大風，大風，大風……

動的宇宙

人搖了，
地轉了，
宇宙是動呀，動呀！
月波沒了樹梢，我游在樹下，
銀色…………銀色…………白的銀色，透明的銀色
　　呵！
月是升了，升了，
斜斜的，彎彎的，半圓的月是升了，
升了，升在半空了！

77

動的宇宙

小船似的，小船似的，小船似的

擺呀！

擺呀！

擺呀！

擺呀！

一個，一個，一個，只是一個，半個，

人們，地球，宇宙，

如玫瑰、銀珠，星珠……水……珠……

滾……滾……滾……滾……滾……

血戰

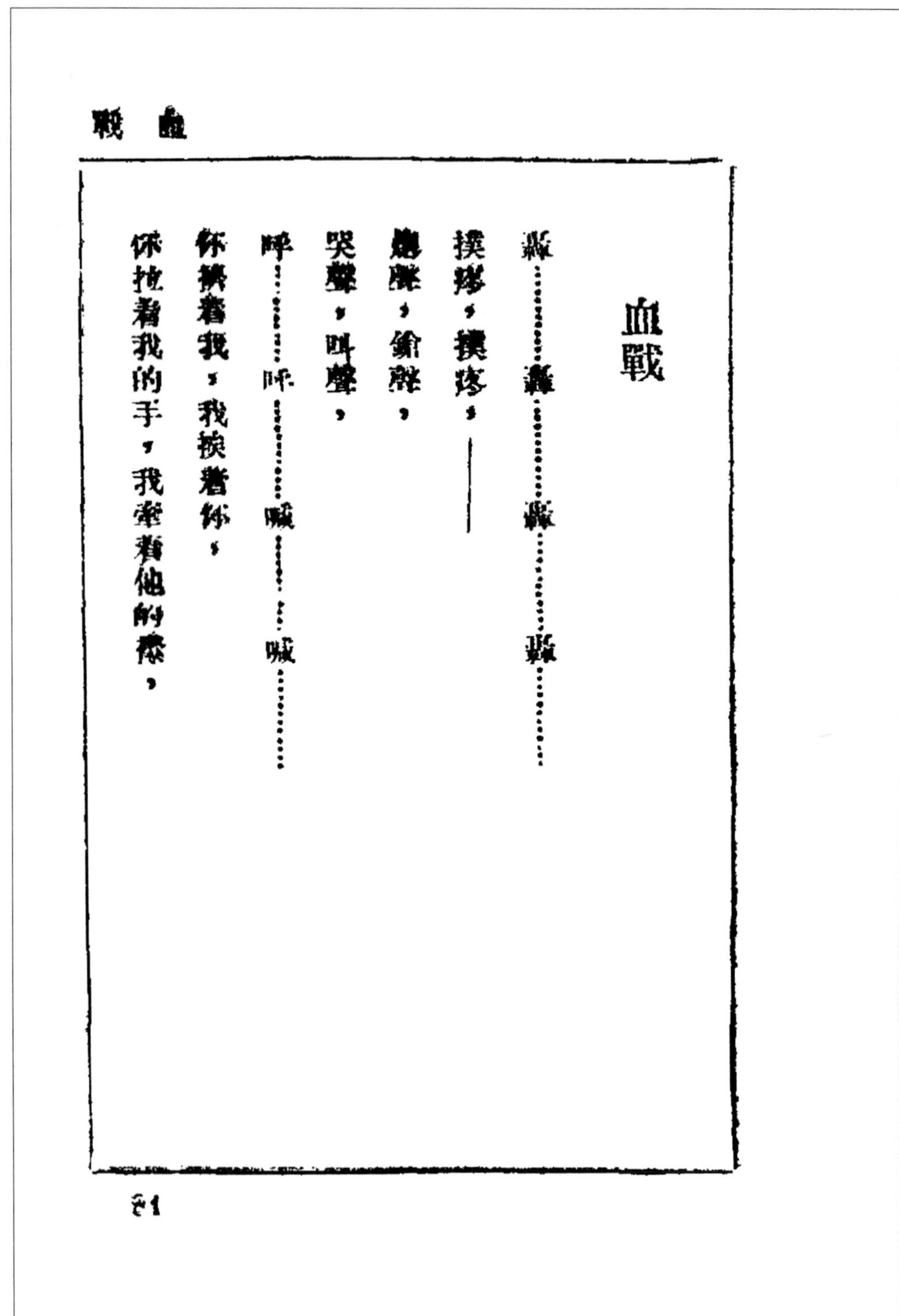

血戰

轟……轟……轟……轟……

撲移，撲移，——

砲聲，槍聲，

哭聲，叫聲，

呼……呼……喊……喊……

你擁着我，我挨着你，

你拉着我的手，我牽着他的襟，

血戰

血，紅血，赤血，珠砂似的血
滿臉的血，滿身的血，滿地的血，
手上是血，脚上是血——
渾身上下的血，
死——
瞪目而死，
軒笑而死，
鎗擊而死，
刀刺而死，

82

挺身而死，
氣昏而死，
流血而死，
你擁着我，我擁着你，
你拉着我的手，我牽着他的襟，
我們去死——
死于冰谷，
死于荒野，
死于森林，

血戰

死于虎穴，

死于水火，

死于鎗炮，

死于血地，

死屍殮入棺材裏，棺材

白的棺材，沈石似的棺材，弔入面孔似的棺材，

血，紅血，赤血，珠砂似的血

淋漓的血，滴打着的血，

油油鮮紅的血，條條片片的血，

死屍，死屍，
倒着的死屍，
臥着的死屍，
陷入土中過半的死屍，
黑斑的死屍，
蛆泳的死屍，
你擠着我，我挨着你，
你拉着我的手，我牽着他的襟，
我們走——走——走——

血戰

飄然的走
慓然的走
打轉的走
英雄氣概的走
魂不消散的走
殷怨集的魂兒，
不能消散，
永不消散，
鐵凝爲結去，

或是爲強盜，
你擠着我，我挨着你。
你拉着我的手，我牽着他的襟，
我們走——走——走——
走入森林，霧迷的森林，
鬼氣，妖氣，怪氣，悶氣
的森林，風緊的森林，冷風颼颼的森林，
——颼～～颼～～颼
我們赤裸裸的身體，

血戰

珠砂血紅的軀殼，
你摸摸我熱砰砰的胸脯，
你不要躺倒！
你擠着我，我挨着你，
你拉着我的手，我牽着他的襟，
我們拔出腰間的斧頭
砍向地球，
　活着的地球，
　發火的地球，

血戰

不能再退，
不能再顧，
我們只要砍，
地球的火就要噴了！
我們的鮮血只要流，
生命的光就會亮了！
你離開我，我躲開你，
你鬆了我的手，我放了他的襟，
我們一齊舉高斧頭

血戰

剖開地球！

十五年三月十八後三日寫成

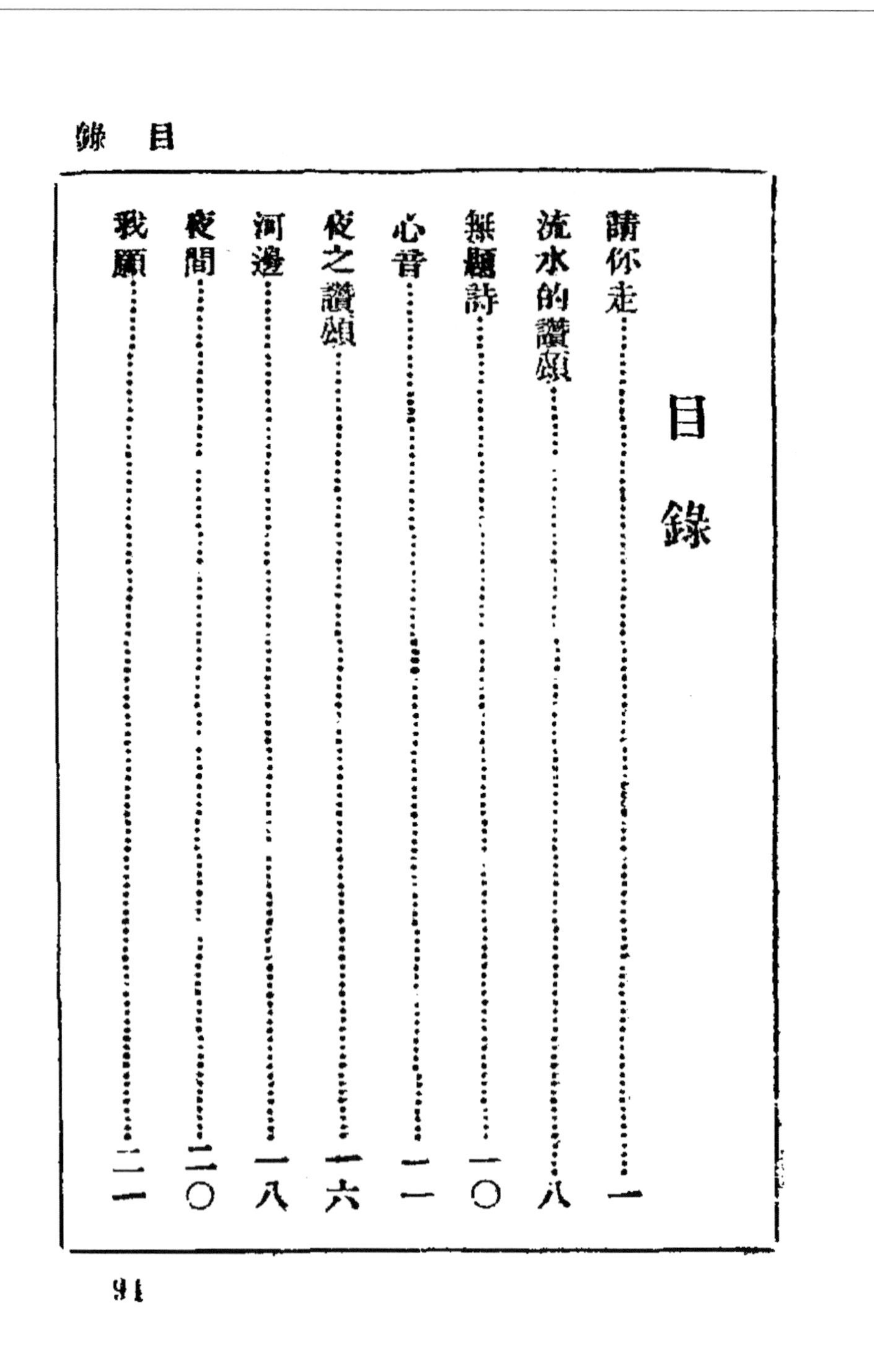

目錄

目錄

目錄

錄　目

目錄

96

動的宇宙（全一冊）

實價三角

中華民國十六年十一月出版

北京東城沙灘三十二號

海音書局發行